INHALT

Liebe Leserinnen und Leser,
die Vielfalt der Religionen ist für viele Menschen eine in ihrer unmittelbaren Umgebung erfahrbare Realität, für andere nur eine durch die Massenmedien vermittelte Einsicht. Fast unabhängig davon wird der Druck, eine Begegnung mit anderen Religionen als notwendig zu empfinden, von den einen stärker, von anderen weniger stark gespürt oder gar abgelehnt. Ohnehin kann es oft so aussehen, als ob die zahlreichen Dialogaktivitäten unterschiedlichster Art einerseits und die akademischen Bemühungen um eine Theologie der Religionen und eine Theorie des interreligiösen Dialogs andererseits sich unverbunden nebeneinander her ereignen. Sicherlich kann es kein ernsthaftes Postulat sein, sich mit einem Anhänger einer (anderen) Religion erst dann unterhalten zu dürfen, wenn eine eingehende theologische Reflexion über die Gestaltung der Beziehung stattgefunden hat. Nicht von ungefähr darf insofern auch gezweifelt werden, ob es tatsächlich einer vorauslaufenden beziehungsklärenden Reflexion bedarf – dieser Zweifel ist insbesondere bei VertreterInnen der Komparativen Theologie zu finden – und ob sich nicht vielmehr die Gesprächsthemen aus dem Prozess selbst ergeben sollten. Andere halten eine pluralistische Religionstheologie für dringend sinnvoll (wenn auch vielleicht nicht für unabdingbar), um zu einem Dialog auf »gleicher Augenhöhe« ohne gegenseitige Bestreitung der »Wahrheit« (wie immer diese verstanden wird) zu kommen. Aber sind es nicht allererst die Regeln gedeihlicher zwischenmenschlicher Kommunikation, die in der interreligiösen Begegnung beherzigt werden sollten?

Dieses Heft greift – anhand der Vorträge der Jahrestagung der DGMW im September 2012 – dieses Thema auf und focussiert es in einigen Beiträgen auf die Pluralistische Religionstheologie. Diese hat in den letzten Jahrzehnten die Diskussion um eine Theologie der Religionen Fahrt aufnehmen lassen, und insbesondere in der Systematischen Theologie, aber auch in Missions- und Religionswissenschaft kommt die Debatte nicht zur Ruhe. In vielen Fällen wurde seit dem Beginn der 1980er Jahre kategorisierend von dem Raster Exklusivismus – Inklusivismus – Pluralismus Gebrauch gemacht, aber auch immer wieder die Tauglichkeit dieser Kategorien bezweifelt. Insbesondere der Beitrag von Nicholas Adams zeigt, dass es zahlreiche Denkmöglichkeiten gibt, die auch bisherige Schablonen sprengen können. Seine »Modelle« zeichnen nach, dass das Thema auch – in einer Metapher geredet – graphisch und »astronomisch« erläutert werden kann. Einen ähnlichen Eindruck des Überschreitens der bekannten Kategorien kann man aus dem von Madeleine Wieger dargestellten Entwurf von Jacques Dupuis und seinem »pluralistischen Inklusivismus« gewinnen. Paul Knitters Beitrag gibt einen schönen Einblick hinter die Kulissen des Entwicklungsgangs seiner eigenen Theologie und der pluralistischen Option, die sich jeweils an den Kritiken und neuen Einwürfen auch aus der Komparativen Theologie abarbeiteten. Insofern ist es umso hilfreicher, dass Moritz Fischer mit seiner Auseinandersetzung mit der pluralistischen Option und insbesondere mit Komparativer Theologie im Detail in diese in den USA erheblich selbstbewusster als bei uns auftretende Dialog-orientierte Theologie hineinschaut. Hinzu treten die Begegnung Heydar Shadis mit dem Gedankengut Abdolkarim Soroushs, in dem uns ein islamischer Umgang mit dem religiösen Pluralismus aufscheint, und ein jüdischer Ansatz zum Thema eines Weltethos: Im Beitrag von Walter Homolka wird neben der Unterscheidung zwischen Juden im engeren Sinne und »Gerechten unter den Völkern« eine Kategorisierung erläutert, die einerseits über Religionsgrenzen hinaus Respekt vor anderen Wahrheitsansprüchen ermöglicht als auch die noachidischen Gebote noch einmal als eine menschheitliche ethische Grundlage ins Gedächtnis ruft.

Die Facetten des Umgangs einer religiösen Tradition mit den anderen tun sich hier in Gestalt von dialogfördernden oder pluralitätskompatiblen Konzepten, religiös multiplen Identitäten zuarbeitenden Ideen und religionsübergreifenden Vorschlägen auf und regen auf je eigene Weise zum Nachdenken und gegebenenfalls Widersprechen an.

In eigener Sache: Wie schon aus der Adressenliste der Schriftleitung der letzten Ausgabe ersichtlich hat sich in unserem Kreise ein Wechsel ergeben. Moritz Fischer hat die Stelle am Lehrstuhl für Interkulturelle Theologie an der Augustana-Hochschule in Neuendettelsau und damit auch seine Verantwortung für die Rubrik »Informationen und Termine« verlassen. Wir danken ihm ganz herzlich für die Jahre wunderbar fruchtbarer und freundschaftlicher Zusammenarbeit in der Schriftleitung! An seine Stelle sowohl an der Augustana-Hochschule als auch in der Schriftleitung ist Verena Grüter getreten, promovierte systematische Theologin und durch lange Jahre Tätigkeit als Referentin für Grundsatzfragen und Theologische Ausbildung im Evangelischen Missionswerk (Hamburg) auch ausgewiesene Expertin in Angelegenheiten der Interkulturellen Theologie/ Missionswissenschaft. Wir freuen uns auf die Zusammenarbeit mit ihr!

Jutta Sperber gilt ein herzlicher Dank für ihre sorgfältige Übersetzung des Textes von Paul Knitter aus dem Englischen einschließlich der Besorgung und Bearbeitung der Anmerkungen.

Ihnen allen wünschen wir eine anregende Lektüre dieses Heftes und grüßen herzlich aus Bern, Basel, Neuendettelsau, Rostock und Hamburg.

Ihr Ulrich Dehn

Vom Beten

Interreligiös lernen

Rainer Neu

Ich bin überzeugt: Die neue Vielfalt der Religionen bereichert uns. Viele von uns sind in einer bestimmten Tradition aufgewachsen. So etwas prägt. Wir wissen aber auch, dass für andere Religionen andere Überzeugungen und Verhaltensweisen wichtig sind. Die einen betonen besonders den Gottesdienst und die Sakramente, die anderen das Gebet und das Fasten, die dritten die Meditation und die Abgeschiedenheit, wieder andere das Engagement in der Welt und den Dienst am Nächsten.

Die Verehrung des Göttlichen ist facettenreich und lebendig. Alle Akzente und Formen haben ihr Recht und ihren Wert. An ihnen erkenne ich die Stärken meiner eigenen Religion, aber auch ihre Schwachpunkte. Vielleicht erinnern mich die anderen Weisen, Gott zu ehren, an Bereiche meines Glaubens, die zu Unrecht in den Hintergrund getreten sind.

Ein Pfarrer in einer deutschen Großstadt gibt eine Vertretungsstunde im Religionsunterricht. Viertes Schuljahr. Der Pfarrer fragt: Wer von euch betet manchmal? Kein Kind meldet sich. Auch im anschließenden Gespräch fällt es den Kindern schwer, sich dem Thema anzunähern. Beten scheint nicht zu ihrem Erfahrungsbereich zu gehören. Nach dem Ende der Unterrichtsstunde jedoch, als die anderen Kinder den Klassenraum verlassen haben, kommt ein Mädchen auf den Pfarrer zu und erzählt ihm: Ja, sie würde manchmal beten. Ihre Eltern säßen abends immer vor dem Fernseher und guckten Filme. Das möge sie nicht. Sie ginge dann manchmal auf ihr Zimmer, nähme die Decke von ihrem Bett, falte sie und lege sie auf den Boden. Dann kniee sie darauf und bete zu Gott. Sie würde ihm manches erzählen, ihn bitten, ihr in schwierigen Angelegenheiten zu helfen und ihm für Schönes danken. Ja, sie wüsste, wie man betet, und sie würde es gerne tun.

Der Pfarrer freut sich über diese Worte, wundert sich allerdings, wieso die Kleine so viel Wert auf die Decke legt und sich zunächst einen Art Gebetsteppich schafft. Sie erklärt ihm: Ihre Eltern hätten noch nie mit ihr gebetet. Sie habe jedoch eine Schulfreundin, ein türkisches Mädchen, die habe ihr erklärt, wie man sich auf das Gebet vorbereitet und was man Gott sagen kann. Dieses Mädchen also, das vom Beten zuvor nichts wusste, ist von einer Klassenkameradin, die der islamischen Religion angehört, ganz praktisch dazu angeleitet worden.

So kann die Begegnung der Religionen zur Bereicherung führen. Einer kann vom anderen lernen. Beide Seiten bereichern sich, helfen sich, den Glauben besser und vielfältiger zu verstehen. Es geht nicht darum, die Früchte der verschiedenen Religionen zu einem bunten Fruchtsalat zu vermengen. Doch jede Religion hat ihre Stärken und Vorzüge, die auch von anderen anerkannt und bewundert werden dürfen. Ihre Besonderheiten helfen uns, eigene Defizite zu entdecken, Gewohnheiten zu hinterfragen, verblasste Überzeugungen mit neuem Leben zu füllen und lau gewordenen Praktiken wieder Aufmerksamkeit zu schenken. Von der Weisheit und Spiritualität anderer Religionen und Kulturen zu lernen, wird uns auf dem eigenen Weg des Glaubens voranbringen.

Pluralistische Religionstheologie. Sackgasse – Herausforderung – gemeinsame Verpflichtung?

Zur Einführung

Dieter Becker

Für viele in unserer Gesellschaft hat die neue Pluralität der Religionen nur geringe Auswirkungen auf den eigenen Glauben und die eigene religiöse Praxis. Das Fremde wird vor allem als Herausforderung und Bedrohung empfunden. Bei der Mehrheit der Deutschen ist der Wunsch nach einer inneren Auseinandersetzung mit größerer religiöser Vielfalt nur schwach ausgeprägt.[1] Die überwiegende Mehrheit – weit über zwei Drittel der Deutschen – sieht in der wachsenden religiösen Vielfalt vor allem die Ursache von Konflikten. Religionen werden vornehmlich als Weltanschauungen betrachtet. Besonders der Islam wird mit nachteiligen Konnotationen versehen. Das Christentum erscheint in etwas helleren Farben: als Religion der Nächstenliebe, der Wohltätigkeit, der Friedfertigkeit, der Menschenrechte. Nicht selten führt die Pluralisierung des religiösen Feldes vor allem zu einer stärkeren Betonung der säkularen Prinzipien der Moderne. Religiöse Pluralität bedeutet insofern schnell »schlechtere Karten« für die Bezeugung des christlichen Glaubens.

Unter christlichen Theologen ist die Annahme umstritten, dass sich alle Religionen auf eine gemeinsame objektive Wirklichkeit beziehen. Auch die Vermutung, dass die göttliche Wirklichkeit selbst jenseits der unterschiedlichen religiösen Antworten liege, halten nicht wenige für eine Sackgasse. Auf seine Weise stemmte sich Adolf von Harnack bereits vor hundert Jahren gegen das, was wir

[1] Detlev Pollack aufgrund einer Studie aus dem Jahr 2010 über »Wahrnehmung und Akzeptanz religiöser Pluralität«. Mehr zum Thema: www.uni-muenster.de/Religion- und Politik.

heute an religiöser Pluralisierung erleben. Gegenüber allen Tendenzen, an Theologischen Fakultäten Lehrstühle für Religionswissenschaft zu installieren, wandte er ein, dass sich die christliche Religion »so gewaltig über alle anderen verwandten Erscheinungen« erhebe, dass man wohl sagen dürfe: »Wer diese Religion nicht kennt, kennt keine, und wer sie samt ihrer Geschichte kennt, kennt sie alle.«[2] Dies Diktum wird heute zumeist nur noch verschämt zitiert.

Der in Oxford berühmt gewordene Theologe und Indologe Max Müller hat hingegen die entgegengesetzte These vertreten: »Wer (nur) *eine* Religion kennt, kennt keine.«[3] Müller meinte damit, dass der Glaube *innerhalb* einer bestimmten Religion noch keineswegs etwas über das Wesen dessen, was *Religion* sei, aussagen könne. Diese Auffassung ist im Bereich der Religionswissenschaft heute so gut wie Konsens. Auch im Bereich der Theologie wächst die Erkenntnis, dass gerade das Studium einer zweiten, einer dritten usw. Religion in der Tat zu einem besseren Erkennen der *fundamentals* der eigenen Religion verhilft. Udo Tworuschka hat die Formulierung Max Müllers zugespitzt und formuliert: »Wer nur das Christentum kennt, kennt das Christentum nicht.«[4]

Das Diktum Müllers verwies früh in Richtung der Notwendigkeit sinnvoller Kommunikation mit Menschen anderen Glaubens. Zu Recht hat W. C. Smith betont: »Keine Bemerkung über den islamischen Glauben ist wahr, die von Muslimen nicht bestätigt werden kann.«[5] Dasselbe gilt *mutatis mutandis* natürlich auch im Blick auf Hindus, Buddhisten und die Angehörigen weiterer Religionen. Eine auf eigenen Projektionen über die anderen aufbauende Theologie eröffnet keine Wege zueinander. Die kulturell offene und empirisch präzise Beschreibung der Religionspraxis der Anderen steigert die kommunikativen Chancen der jeweiligen Darstellung. Für die fachwissenschaftliche Erforschung von Religion ist

[2] Adolf von Harnack, Die Aufgabe der theologischen Fakultäten und die allgemeine Religionsgeschichte. Nebst einem Nachwort, in: Ders., Reden und Aufsätze, Bd. 2, 2. Aufl., Gießen 1906, 159–178, 179–187, 168.

[3] Vgl. Friedrich Max Müller, Einleitung in die vergleichende Religionswissenschaft. Vier Vorlesungen ... nebst zwei Essays, Straßburg 1874, 14. – Der schwedische Religionsforscher und spätere Bischof von Uppsala Nathan Söderblom pendelte vermittelnd zwischen diesen beiden Anschauungen: »Wer diese Religion (sc. das Christentum) kennt, kennt mehr als eine Religion.«

[4] Udo Tworuschka, Selbstverständnis, Methoden und Aufgaben der Religionswissenschaft und ihr Verhältnis zur Theologie, in: Ders. (Hg.), Religionswissenschaft in Jena, Jena 2003, 20–42.

[5] Wilfred Cantwell Smith, Towards a World Theology. Faith and the Comparative History of Religion, London 1981, 97.

hingegen stets auch die Binnensicht der Beteiligten mit einzubeziehen. Das gehört inzwischen zum Einführungswissen der Disziplin.[6]

Wenn wir vor dem Unvertrauten, vielleicht Fremden der Anderen nicht zurückschrecken und uns Menschen anderer Religion in der konkreten Begegnung öffnen, erleben wir nicht selten, dass wir auf Menschen treffen, die in ihrer Religion von dem göttlichen Gegenüber in ähnlicher Weise begeistert sind wie wir in der unseren. Und wenn es darum geht, die Plausibilität des Christlichen im Durchmessen religiöser Alternativen zu reflektieren, sind wir schnell im Bereich der pluralistischen Religionstheologie. Ein neuer Umgang mit den Wahrheitsansprüchen des Christlichen nimmt heute nicht selten den »Umweg« über das Fremde. Wir suchen Selbsterkenntnis im Licht von Alterität. Zugleich wachsen wir in der Fähigkeit, den eigenen Standpunkt Anderen gegenüber zu artikulieren.

Christen haben in nahezu 2000 Jahren versucht, der Verheißung Jesu zu folgen und das christliche Zeugnis »bis an die Enden der Erde« (Apg. 1,8) zu tragen. Aber das »Zu-Jüngern-Machen *aller Völker*« (Matth. 28,19) haben sie nicht annähernd erreicht. Nur ein Drittel der Menschheit folgt heute dem christlichen Glauben, die anderen zwei Drittel stehen weiter außerhalb der christlichen Gemeinschaft.[7] Auch für unsere jüdischen Schwestern und Brüder hat sich die Verheißung aus Sacharja 8,23 keineswegs erfüllt: »Zu jener Zeit werden (je) zehn Männer aus aller Völkerwelt Zungen (je) einen jüdischen Mann beim Rockzipfel anfassen und sagen: wir wollen mit euch gehen, denn wir hören, dass Gott mit euch ist.« Im Islam ist es kaum anders. Allerdings reflektieren islamische Gelehrte nur selten öffentlich auf die Ausbreitungsgeschichte ihrer Religion im Zusammenhang der Menschheitsgeschichte.[8]

Das noch immer unübertroffene Standardwerk zur Ausbreitungsgeschichte der Christenheit ist das siebenbändige Werk von Kenneth Scott Latourette.[9] Da heißt es im Vorwort der deutschen Ausgabe von Hermann Dörries: Eine solche Geschichte müsse »ihren Blick so weit ausdehnen, dass nicht nur die Kirchen-Geschichte, sondern auch die allgemeine Religions-Geschichte, wie die Mensch-

[6] Siehe dazu Olaf Schumann, Wer nur eine Religion kennt, kennt keine. Das Studium fremder Religionen innerhalb des Theologiestudiums, in: Theodor Ahrens (Hg.), Zwischen Regionalität und Globalisierung. Studien zu Mission, Ökumene und Religion, Ammersbek bei Hamburg 1997, 205–247.

[7] Der Anteil der Christen an der Weltbevölkerung ist in den letzten 100 Jahren nahezu konstant geblieben, d. h. bei ca. 30 %. Die sogenannten Hochreligionen und die von ihnen geprägten Bevölkerungen erweisen sich weitgehend als unzugänglich für christliche Mission.

[8] Siehe dazu Abdallah Laroui, Islam et Histoire. Essai d'épistémologie, Paris 1999, 13.

[9] Kenneth Scott Latourette, Geschichte der Ausbreitung des Christentums, Göttingen 1956.

heits-Geschichte als Ganze mit umspannt wird«. Sind die bisherigen Darstellungen der Kirchen- und Missionsgeschichte aber nicht zumeist christliche Monologe, bei denen die anderen Religionen nur als dunkle Folie im Hintergrund erscheinen? Faktisch brachten 2000 Jahre der Bezeugung christlichen Glaubens jedoch unzählige lebendige, wenn auch oft nicht festgehaltene Begegnungen und Dialoge mit sich. Werden Christen angesichts solcher Einsichten ihr Verhalten ändern? Werden wir uns konsequent auf ein Zusammenleben mit den anderen Religionen einstellen? Werden wir uns im Dialog so positionieren, dass wir uns selbst auch mit den Augen der Anderen wahrnehmen?

In Form von Blitzlichtern beleuchten die auf der Jahrestagung der Deutschen Gesellschaft für Missionswissenschaft gehaltenen Vorträge das Verhältnis der »Mutter Kirche« zu ihren Nachbarn, den anderen Religionen. Dabei kommen Repräsentanten zu Wort, die selbst für den Islam und das Judentum das Wort ergreifen. So bleiben wir nicht nur auf die Perspektive von außen angewiesen. Mit ihnen können wir in ein Gespräch darüber eintreten, wie in ihrer Wahrnehmung Gottes Wirken auch in anderen Weisen des Glaubens aufleuchtet. Ich bin dankbar für die Denkanstöße, die uns damit eröffnet werden.

Die pluralistische Religionstheologie: Woher – wohin?

Paul F. Knitter

Es gibt eine ganze Reihe von Gründen, warum ich mich sehr freue, heute und in den nächsten Tagen bei Ihnen zu sein. Ganz abgesehen von der Gelegenheit, alte und neue Freunde zu treffen und mit meiner Frau eine der schönsten Ecken Europas zu genießen, haben Sie mir die Möglichkeit gegeben, über zwei Anliegen zu sprechen, die meinem Herzen nahe waren auf meiner langen Reise als Christ und als Theologe: religiöser Pluralismus und Mission. Ungefähr seit 1972, als ich nach Abschluss meines Doktorats an der Universität Marburg in die Vereinigten Staaten zurückkehrte, war ich das, was man gemeinhin »einen pluralistischen (Religions)theologen« nennt. Aber schon lange vorher, schon seit ich mich 1952 am Minor Seminary of the Society of the Divine Word einschrieb, war ich ein Missionar (oder wollte es zumindest sein). Ich bin davon überzeugt, dass Mission ein ganz wesentlicher Teil der christlichen Identität ist. So freue ich mich, darüber sprechen zu können, warum ich persönlich glaube, dass eine pluralistische (Religions)theologie eine angemessenere und tiefere Hingabe an die Sache der Mission fördern kann.

Begriffsdefinitionen

Wie ich meine Aufgabe hier verstehe, hat man mich gebeten, in meinem Vortrag zurückzuschauen, um vorwärtsschauen zu können – also zurückzuschauen auf die Entstehung und das Wachsen einer pluralistischen Religionstheologie, um deren Auswirkungen auf die Mission der Kirche besser einschätzen zu können.

Lassen Sie mich mit einem Verfahren beginnen, das ich viele Jahre zuvor, 1962 bis 1968, während meiner Studienjahre an der Päpstlichen Universität Gregoriana in Rom gelernt habe. Dort begannen wir jede neue Vorlesung mit einer *definitio terminorum.* Ich denke, dieses Verfahren ist in unserem Fall heute besonders wichtig, denn viele der Beschreibungen von (religionstheologischem) Pluralismus, denen ich so begegne, passen in keinster Weise auf die (religionstheologischen) Pluralisten, die mir bekannt sind.[1]

Die folgenden sechs Kennzeichen werden Sie in jeder Religionstheologie finden, die sich selbst »pluralistisch« nennt:

1. *Pluralistische Religionstheologen behaupten, dass viele Religionen wirksam und gültig sein können.* Das bedeutet, dass viele Religionen den Menschen verschiedene Wege anbieten können, das zu begreifen, was wirklich und wahr ist, und ein Leben in Harmonie zu führen mit eben dem, was wirklich und wahr ist.
2. *Pluralistische Religionstheologen anerkennen und bejahen, dass es reale und manchmal unabänderliche Unterschiede zwischen den Religionen gibt.* (Religionstheologische) Pluralisten vertreten – lassen Sie mich das klar und deutlich sagen – nicht die Meinung, dass »alle Religionen dasselbe sagen« oder dass »alle Religionen gleich gültig sind«. Aber sie warnen auch, dass man mit solchen Unterschieden sehr sorgfältig umgehen muss. Oft stellt es sich heraus, dass unabänderliche Unterschiede sich eher ergänzen, als dass sie sich widersprechen.
3. *Pluralistische Religionstheologen behaupten – oder besser: sie glauben –, dass unabhängig davon, wie unterschiedlich Religionen sind, es etwas gibt, was sie alle miteinander verbindet und was es damit möglich macht, dass sie sich gegenseitig verstehen und gegenseitig herausfordern können.* Das bedeutet nicht, einen »gemeinsamen Urgrund« oder ein von allen Religionen »geteiltes Wesen« zu behaupten. Aber das bedeutet, dass, wenn wir irgendeine Art von Gespräch zwischen den Religionen haben wollen, das sie in den Stand versetzt, voneinander lernen zu können, wir dann das haben müssen, was Raimon Panikkar »*cosmic trust*« genannt hat, dass es ein Geheimnis gibt, das sie alle verbindet.[2]

[1] Wie John Hick es früh in der Geschichte der pluralistischen (Religions-)Theologie sagte, bejahen die (religionstheologischen) Pluralisten die Notwendigkeit »to grade religions«. Siehe »On Grading Religions«, in: Religious Studies 17 (1981), 451–467.

[2] Raimon Panikkar, The Invisible Harmony: A Universal Theory of Religion or a Cosmic Confidence in Reality?, in: Leonard Swidler (Hg.), Toward a Universal Theology of Religion, Maryknoll 1985, 118–153. In jüngerer Zeit auch bei Catherine Cornille, The Impossibility of Interreligious Dialogue, New York 2008, Kap. 3: »Interconnection«.

4. *Die Hauptkriterien (wenn auch nicht die einzigen Kriterien), die pluralistische Religionstheologen anwenden, um Religionen »einzustufen« oder ihre Wahrheitsansprüche zu bewerten, sind eher ethisch denn philosophisch oder theologisch.* Das leugnet natürlich nicht die Notwendigkeit philosophischen oder theologischen Denkens.
5. *Pluralistische Religionstheologen warnen davor, dass keine Religion daran festhalten kann, dass sie die einzige oder die überlegene oder die letzte Wahrheit über alle anderen Religionen enthalte.* Das liegt zuallererst daran, dass (religionstheologische) Pluralisten das bejahen, was meiner Überzeugung nach alle Religionen lehren: dass das, worüber sie sprechen, jede menschliche Verständnis- und Ausdrucksfähigkeit übersteigt. Und zweitens liegt es daran, dass alle (religionstheologischen) Pluralisten mit Postmodernisten wie Thomas von Aquin darin übereinstimmen, dass *»omne quod recipitur secondum modum recipientis recipitur«* – oder dass alles menschliche Wissen sozial konstruiert ist und deshalb begrenzt und unvollständig.
6. *Schließlich versucht eine pluralistische Religionstheologie die Grundlagen für einen authentischeren und lebensspendenden Dialog zwischen den Religionen zu legen.* Sie zielt nicht nur darauf ab, die Pluralität der Religionen zu bestätigen, sondern auch die Interaktion der Religionen zu fördern. Ihr letztes Ziel ist nicht Toleranz, sondern Dialog.

Die Geburt einer pluralistischen Religionstheologie

John Hick: God and the Universe of Faiths (1973), The Myth of God Incarnate (1977)

Wenn wir »den Vater einer pluralistischen Religionstheologie« feststellen wollten, würden, vermute ich, alle auf John Hick deuten. 1973 rüttelte sein *God and the Universe of Faiths* viele von uns wach, als es den Ruf nach einer »Kopernikanischen Wende« im christlichen Verständnis der anderen Religionen und damit konsequenterweise im christlichen Selbstverständnis erschallen ließ.[3] Hick argumentierte, die Christen wären sowohl dem Gott Jesu als auch dem Gott der

[3] London 1973.

Philosophen gegenüber treuer, wenn sie nicht länger das Christentum, ja nicht einmal Christus selbst, in den Mittelpunkt des Universums von Wahrheit und Offenbarung stellen würden, denn jener Mittelpunkt gehört Gott allein. Wenn die römisch-katholische Kirche im Zweiten Vatikanum vom Ekklesiozentrismus zum Christozentrismus vorangeschritten war, so sei es nun an der Zeit, den Weg zu Ende zu gehen zum Theozentrismus hin. (Oder, wie er es formulierte, das Konzil hat eine Brücke über den Rubikon geschlagen, aber die Kirche muss noch darüber gehen!)

Um diese Bewegung zu fördern und um deren christologischen Implikationen entgegenzutreten, gab Hick das Buch heraus, das, wie er einmal sagte, die Nummer Eins seiner vielen theologischen Bestseller wurde: *The Myth of God Incarnate*.[4] Seine ganze lange Karriere hindurch, besonders in seinen monumentalen Gifford-Vorlesungen, *An Interpretation of Religion*[5], machte er weiter als ein sanfter, aber beharrlicher Vertreter dieser Kopernikanischen Wende. Obwohl er die theologischen Implikationen dieser Wende mutig aufnahm, blieb er doch letztlich Philosoph – auf der Suche nach dem breiteren Publikum der säkularen Suchenden. Auf einer gemächlichen Autofahrt von Birmingham nach Oxford Mitte der neunziger Jahre des 20. Jahrhunderts gab er seiner Sorge Ausdruck, ich könnte meine (religionstheologisch) pluralistischen Überzeugungen aufgeben, und schloss dann damit, dass er »Johannes, der Apostel der Nichtkirchlichen« sei, während ich »Paulus, der Apostel der Kirchlichen« sei.

Raimon Panikkar: The Intra-religious Dialogue (1978), The Unknown Christ of Hinduism (überarbeitete Neuauflage 1981)

Wenn Hick der Philosoph war, der theologische Schlussfolgerungen zog, dann war Raimon Panikkar der Theologe, der seine Theologie auf multikultureller Philosophie und Geschichte aufbaute. Sowohl Hick als auch Panikkar legten die ersten Grundlagen für eine pluralistische Religionstheologie. In erster Linie war Panikkar ein Praktiker des Dialogs, sowohl darin, dass er sich im Studium und in Gesprächen mit mehreren Glaubensweisen zugleich auseinandersetzte, als auch in seiner persönlichen Spiritualität; er besaß eine »doppelte« oder »mehrfache« religiöse Zugehörigkeit lang bevor dies ein gängiger Begriff wurde. In

[4] London 1977.
[5] An Interpretation of Religion: Human Responses to the Transcendent, Yale 1989.

seinem für viele provokativen Buch *The Intra-religious dialogue* von 1978 legte er die Verheißung *und* die Forderungen des Dialogs aus: Was »inter« ist, muss mit »intra« beginnen und enden. Um wirklich die Andersartigkeit des Anderen einbeziehen zu können, wird man, darauf bestand Raimon Panikkar, in den meisten Fällen die Andersartigkeit und Neuartigkeit in der eigenen religiösen Tradition und Identität entdecken müssen. Und wenn multireligiöse Wahrheiten miteinander ins Gespräch kommen, dann wird es auch das geben, was er »gegenseitige Befruchtung« nennt. Aber in diesem Dialogengagement, darauf bestand er ebenfalls, wird das »Pneuma« oder der (Heilige) Geist immer zwei Schritte voraus sein und dadurch niemals vollständig vom »Logos« oder Wort erfasst werden. Panikkar war im tiefsten Sinn ein Mystiker.

Und obwohl Panikkar es immer lächelnd vermied, sich mit irgendeinem bestimmten theologischen Lager zu identifizieren, zog er dennoch klare theologische Schlüsse in der revidierten 1981er-Ausgabe seines Buches *The Unknown Christ of Hinduism*. Die erste Ausgabe von 1964 hatte Christus klar mit Jesus identifiziert und das Christentum als »das Ende und die Fülle aller Religion« aufrechterhalten; aber die revidierte Ausgabe verkündete kühn, dass der Christus oder die offenbarende, rettende Verbindung zwischen dem Unendlichen und dem Endlichen nicht auf Jesus beschränkt werden kann.[6] Und so entschied er sich 1986, der Versammlung der ersten Generation der pluralistischen Religionstheologen beizutreten, und diese Religionstheologen veröffentlichten schließlich das Buch *The Myth of Christian Uniqueness*.[7]

Obwohl Panikkar die (religionstheologisch) pluralistischen Kollegen daran erinnerte, dass sie die manchmal unabänderlichen und nicht vergleichbaren Unterschiede zwischen den Religionen pflegen sollten, rief er auch auf zu einem kosmischen Vertrauen, dass es das gibt, was es den Gläubigen verschiedener Religionen ermöglicht, ihre grundsätzlichen Ungleichheiten zu überbrücken und voneinander zu lernen und einander in echtem Dialog herauszufordern. Ein solches kosmisches Vertrauen war für Panikkar in dem begründet, was er das kosmotheandrische Mysterium einer nicht-dualistischen Einheit zwischen Gottheit, Menschheit und Materie nannte, das die gesamte Wirklichkeit durchdringt, und das er so brillant und inspirierend in seiner letzten Veröffentlichung vorstellt, den

[6] Siehe: The Unknown Christ of Hinduism, London 1964, 24; die Auflage von 1981 (Maryknoll), 14–27..

[7] The Jordan, the Tiber, and the Ganges: Three Kairological Moments of Christic Self-Consciousness, in: John Hick/Paul Knitter (Hg.), The Myth of Christian Uniqueness: Toward a Pluralistic Theology of Religions, Maryknoll 1987, 89–116.

Gifford-Vorlesungen, die er etwa 22 Jahre, nachdem er sie gehalten hatte, veröffentlichte, genau ein Jahr, bevor er von uns ging: *The Rhythm of Being*[8].

Paul Knitter: No Other Name? (1985), The Myth of Christian Uniqueness (1986)

Obwohl es schwierig und vielleicht unschicklich ist, sich selbst einzuschätzen, fühle ich mich irgendwie verpflichtet, es in diesem Vortrag doch zu tun ... In meinem Buch *No Other Name?* von 1985 war ich »Paulus, der Apostel für die Kirchlichen«, wie Hick mich später nannte. In jenem Buch versuchte ich mich selbst und meine Mitchristen davon zu überzeugen, dass man sowohl ein Jünger Christi als auch ein (religionstheologischer) Pluralist sein könne. Ich unterstützte Hicks Theozentrismus vorsichtig, aber von Herzen, und versuchte, seine Kompatibilität mit einer revidierten Christologie zu zeigen, die für sich die neutestamentlichen Forschungen zum historischen Jesus, die transzendentale Christologie Rahners, die Prozesstheologie und besonders die Befreiungstheologie in Anspruch nahm. Das Buch entfachte eine unerwartete und ziemlich kontroverse Diskussion in den USA, Europa und Asien. Und nach einer gekürzten Übersetzung ins Deutsche (mit dem nicht genehmigten und unangemessenen Titel *Ein Gott – viele Religionen: Gegen den Absolutheitsanspruch des Christentums*[9]) führte es unmittelbar zu einem Versuch der Glaubenskongregation, mich mit Hilfe meines Ortsbischofs von der Xavier Universität zu entfernen.

So stimmte ich auch sofort zu, als Hick mich Mitte der 1980er Jahre bat, ihm bei der Organisation einer Konferenz zu helfen, die eine internationale, multikonfessionelle und geschlechtergerechte Schar von pluralistischen Religionstheologen aus der ganzen Welt zusammenbringen sollte. Die Frucht dieser Zusammenkunft war das gemeinsam bei Orbis Books herausgegebene *The Myth of Christian Uniqueness: Toward a Pluralistic Theology of Religions.* Innerhalb von zwei Jahren erhielten die Priester und Brüder in Maryknoll eine Verwarnung von der Glaubenskongregation.

[8] Maryknoll 2010.
[9] München 1988.

Kritiken und Antwort: Erste Runde

Die Kritiken

Die zunehmenden Kritiken einer pluralistischen Religionstheologie in den achtziger und neunziger Jahren des 20. Jahrhunderts zerfielen in zwei allerdings miteinander harmonisierende Lager: die Philosophen und die Theologen.

Die Philosophen: Pluralismus führt zu Imperialismus/Exklusivismus: Die erste koordinierte Antwort auf die neue pluralistische Herausforderung kam von meinem langjährigen guten Freund Gavin D'Costa. Er versammelte eine ähnlich beeindruckende Schar von internationalen Gegnern der pluralistischen Religionstheologen (auch wenn sie sich nicht zu einer Konferenz trafen); ihre Antwort auf *The Myth of Christian Uniqueness* war das widerhallende und trotzige *Christian Uniqueness Reconsidered: The Myth of a Pluralistic Theology of Religions*, das auch von Orbis Books veröffentlicht wurde (und dazu diente, die Glaubenskongregation zu beruhigen!). Obwohl der Entwurf als solcher ein theologischer war, war ein Gutteil der Antworten philosophisch. Eigentlich ist es eine postmoderne Kritik: Auf verschiedenen Wegen lief die Argumentation darauf hinaus, dass die neuen pluralistischen Religionstheologen mit ihrer Bewegung hin zum Theozentrismus und ihrer Berufung auf eine universale rettende Botschaft in verschiedenen religiösen Behältnissen im Gegensatz zu ihren Absichten und ihrem edlen Trachten sich doch als Imperialisten und Exklusivisten erweisen würden.

Als wir pluralistischen Religionstheologen verkündeten, dass es Gott ist, nicht Jesus, der im Zentrum des universellen Heilshandelns steht, antworteten diese Kritiker resolut und auch etwas verächtlich: »Von wessen Gott redet ihr?« Sie erinnerten uns daran, dass es außerhalb des Ganges und der Begrenzungen der Geschichte keine Universalien gebe, mit Hilfe derer wir aus einer Vogelperspektive auf die gesamte Religionsgeschichte blicken könnten. Jede Sichtweise ist an einen ganz bestimmten kulturellen »Baum« gebunden. Zu behaupten, man habe diesen gottgleichen, universalen Überblick, bedeute unausweichlich, wenn auch unbewusst, die eigene Sicht an die Stelle von Gottes Sicht zu setzen. Und das bedeute, den anderen seine eigene Sicht aufzuzwingen, im Namen Gottes.[10]

[10] Siehe Kenneth Surin, A ›Politics of Speech‹: Religious Pluralism in the Age of the McDonald's Hamburger, in: Gavin D'Costa (Hg.), Christian Uniqueness Reconsidered: The Myth of a Pluralistic Theology of Religions, Maryknoll 1990, 192–212.

Die Theologen: Religionstheologischer Pluralismus ist Verrat an der christlichen Identität: Die theologischen Kritiker sprachen nicht nur einfach um der Orthodoxie willen, sondern aus einer pastoralen Besorgnis um das Wohlergehen der christlichen Gemeinden willen, und gaben eine weniger komplexe, dafür umso ernüchternde Kritik der neuen pluralistischen Religionstheologie: Die einzigartige Heilsmittlerschaft Jesu in Frage zu stellen bedeute, sich selbst außerhalb der christlichen Gemeinschaft zu stellen. Wie damals in den 1980er Jahren Bischof Tarcisio Bertone, Mitarbeiter Kardinal Josef Ratzingers bei der Glaubenskongregation, meinem Bischof in Cincinnati schrieb: Ich kann nur dann als orthodoxer katholischer Theologe an der Xavier Universität betrachtet werden, wenn ich »klar und unzweideutig die exklusive Rolle Jesu als Vermittler allen Heils vertrete«[11].

Waren solche Kritiken des Lehramts verwirrend, so waren es jene Kritiken, die von theologischen Kollegen wie Hans Küng, Monika Hellweg, Gregory Braun und Karl Josef Kuschel kamen, umso mehr. Sie alle warnten aus unterschiedlicher Sicht, dass die Dezentralisierung Christi durch die pluralistischen Religionstheologen schlimme Verwüstungen unter den Christen anrichten oder den prophetischen Ruf der Befreiungstheologie nach Gerechtigkeit schwächen würde. Das waren ernüchternde Herausforderungen. Pluralistische Religionstheologen sind Theologen; sie haben eine bleibende Verantwortung für ihre Gemeinden.

Die Antwort der pluralistischen Religionstheologen

Ich muss, zusammen mit vielen meiner pluralistischen Kollegen, zugeben, dass diese Kritiken über weite Strecken berechtigt waren. Wie alles, was im theologischen Garten der Kirche neu emporwächst, brauchte dieser neue Versuch, die »Zeichen der Zeit« wahrzunehmen, nicht nur Dünger, sondern auch einen Rückschnitt. Seine Kritiken gaben die Gelegenheit zu beidem. In ihrer Antwort schnitten die Pluralisten ihren Vorschlag in zweierlei Hinsicht zurück – wieder einmal mehr philosophisch, das andere Mal theologisch und schriftgemäß.

Philosophisch führte John Hick die Antwort auf die Kritiken an, indem er, wenn ich es so ausdrücken darf, *mystischer* wurde. Er gab indirekt zu, dass seine Sprache und sein Denken wirklich zu eurozentrisch und christlich seien, und gab

[11] Aus einer offiziellen Mitteilung der Congregatio pro Doctrina Fidei an Erzbischof Daniel Pilarczyk, Protokoll Nummer 1936/75–07770 (eigene Übersetzung).

seine Rede von *Theos* als dem Mittelpunkt oder Grund des religiösen Universums auf und begann stattdessen von *the Real* (dem Wirklichen) zu sprechen. In einem persönlichen Gespräch mit mir sprach er davon, wie wichtig der sufistische Mystiker Ibn Arabi für sein eigenes spirituelles Leben sei; und Ibn Arabi spricht viel von »dem Wirklichen«. Indem er den Grund und das Ziel der spirituellen Suche des Menschen als »das Wirkliche« bezeichnet, bot Hick ein Symbol an, das das widerspiegelt, was alle Religionen – ja, alle – in ihren Lehren klar anerkennen, auch wenn sie ihm in ihrer Praxis nicht immer folgen: dass die Wirklichkeit, die sie entdeckt haben oder die ihnen offenbart wurde, immer mehr sein wird als der menschliche Geist je verstehen kann (sogar wenn sie ihre Offenbarung als vollständig und endgültig bezeichnen). Zu erkennen, wie es alle Religionen in ihren besten Augenblicken tun, dass das, worüber sie sprechen, unabänderlich und auf geheimnisvolle Weise »mehr« ist als das, was menschliche Möglichkeit wissen kann, das bedeutet zu erkennen, dass, implizit, aber notwendigerweise, alle religiösen Ansprüche begrenzt, relativ und nicht absolut sind. Diese Erkenntnis, diese Aussage ist der Kern der Position der Pluralisten.

Theologisch habe ich versucht, diesen ernüchternden Kritiken zu antworten, indem ich Hilfe bei der Befreiungstheologie suchte. Ich studierte die Methodologie der Befreiungstheologie, als ich meine Lehrkarriere als Priester in den frühen 1970er Jahren begann. Aber in der Mitte der 1980er Jahre, kurz nachdem ich geheiratet hatte (ich war 1975 in den Laienstand zurückversetzt worden), kamen meine Frau und ich im Rahmen der Friedensarbeit in El Salvador in Kontakt mit einer Gruppe namens CRISPAZ (Cristianos por la Paz en El Salvador – Christen für den Frieden in El Salvador). In unserer Arbeit mit den Basisgemeinden und mit den Jesuiten an der Universidad Centro Americana wurde die Befreiungstheologie für mich von einer akademischen Beschäftigung zu einer Sache des persönlichen Glaubens. Ich erinnere mich an Gespräche mit meiner Frau darüber, ob ich möglicherweise wählen müsse dazwischen, ein pluralistischer Religionstheologe zu sein, der sich um die vielen Religionen kümmert, oder ein Befreiungstheologe, der sich um die vielen Armen kümmert. Wenn eine Wahl unumgänglich wäre, gingen die Armen eindeutig vor.

Aber im Folgenden erkannte ich, dass eine solche Wahl überhaupt nicht nötig war, in der Tat wäre sie eine Katastrophe! Mit Hilfe meines Mentors und Freunds Aloysius Pieris SJ erkannte ich, dass die »vielen Religionen« und die »vielen Armen« einander brauchen. Eine wirksame Befreiung von den Strukturen weltweiter Unterdrückung braucht die pluralistische Zusammenarbeit aller Religionsgemeinschaften. Und eine Theologie oder ein Dialog der Religionen, die das Leiden der Armen und Unterdrückten ignoriert, wird zu Opium, durch das die Theologen friedlich ihren akademischen Diskurs auf den Berggipfeln verfolgen können, während es im Tal darunter keinen Frieden gibt.

Während also Hick es vorzog, von »*the Real*« (dem Wirklichen) zu sprechen statt von »Theos«, gab ich der »*Soteria*« den Vorzug. Obwohl die Bezeichnung christlich ist, dem Neuen Testament entnommen, fühlte ich, dass sie in analoger Weise nicht die Essenz aller Religionen repräsentieren könne, wohl aber das Ziel allen religiösen Strebens – »*salus*« oder das Wohlergehen von beiden, Menschen und Planet, zu fördern. So drängte ich in meinem Beitrag zu *The Myth of Christian Uniqueness* ziemlich kühn darauf, dass, wenn das Christentum sich nun vom Ekklesiozentrismus über den Christozentrismus zum Theozentrismus entwickelt habe, es jetzt einen weiteren Schritt hin zum *Soteriozentrismus* gehen könne.

Doch solch eine Bewegung würde nicht einfach nur einen Wechsel in der theologischen Perspektive umfassen, sondern auch einen in der Methodologie. Indem ich ein Grundprinzip der Befreiungstheologie anwandte, forderte ich, dass unser Theologisieren über andere Religionen, ja sogar jeder ausgesprochen religiöse Dialog mit anderen Gläubigen erst ein *zweiter Schritt* sein kann. Dieser würde dem *ersten Schritt* der Praxis einer multireligiösen Zusammenarbeit folgen – eine Zusammenarbeit, die mehr Glück, mehr Gerechtigkeit, mehr Mitleid zwischen den Völkern zu fördern versucht. Dialog würde nach der *dia-praxis* kommen.

Solch eine soteriozentrische pluralistische Religionstheologie gründet sich in, ja wird in der Tat gefordert von dem, was nach Auskunft der Neutestamentler das Hauptanliegen von Jesu Mission und Dienst war: die *Basileia tou Theou.* Wie Jon Sobrino den Christen wieder ins Gedächtnis gerufen hat, war Jesus weder auf die Kirche noch auf Christus, ja genau genommen nicht einmal auf Gott zentriert. Er war vielmehr auf das Königreich zentriert, also regnozentrisch. Gott ohne das Reich Gottes war für Jesus *nicht* der eine und einzige Gott seiner jüdischen Vorfahren.

Kritiken und Antwort: Zweite Runde

Was ich »zweite Runde« in den Gesprächen zwischen pluralistischen Religionstheologen und deren Kritikern nenne, reicht von den 1990er Jahren bis zur Gegenwart. In diesen Jahren beobachte ich vier Hauptkritikpunkte, die der pluralistischen Religionstheologie nicht nur einen Verweis erteilen, sondern sie zu ersetzen suchen.

Die Kritiken

1. Partikularismus

Mit der 1984 erfolgten Veröffentlichung seines Buches *The Nature of Doctrine: Religion and Theology in a Postliberal Age*[12] sorgte George Lindbeck für das Grundmuster dessen, was inzwischen ein viertes Modell einer Religionstheologie geworden ist. Zusätzlich zu oder besser anstelle der anderen Modelle, Exklusivismus, Inklusivismus, Pluralismus, haben wir nun *Partikularismus.* Auf der Grundlage von Lindbecks postmodernem Argument, dass religiöse Erfahrung der Sprache/Kultur nicht vorausgeht, sondern von ihr bestimmt wird, haben andere Theologen wie Paul Griffiths, Gavin D'Costa, Joseph DiNoia (jetzt Bischof im Vatikan) und Jeannine Hill-Fletcher (unter Vorbehalten) ein neues theologisches Modell für den religiösen Pluralismus entwickelt. Dieses Modell behauptet die *Dominanz der Verschiedenheit* oder die *Bevorzugung der Partikularität.* Einfach ausgedrückt: Religionen sind untereinander mehr verschieden als ähnlich. Tatsächlich sind sie im Innersten nicht miteinander zu vergleichen. Deshalb ist es schlicht und einfach unmöglich, das feststellen zu wollen, »was allen Religionen gemeinsam ist«, entweder weil es nicht existiert oder, falls es existiert, wir es niemals finden werden. Damit antworten die Partikularisten auf Hicks »Wirkliches« und Knitters »*Soteria*« und machen sich damit zum Echo von Alisdair MacIntyre: »Whose [j]ustice? Which [r]ationality?«[13] Was immer zur »Gemeinsamkeit« aller Religionen erklärt wird, wird damit von einer Religion den anderen aufgezwungen.

[12] Louisville 1984.

[13] Alisdair MacIntyre, Whose Justice? Which Rationality?, South Bend, IN 1989 (eigene Übersetzung). Mark S. Heim, Salvations: Truth and Difference in Religion, Maryknoll 1995, 71–98. Gavin D'Costa, The Meeting of Religions and the Trinity, Maryknoll 2000. J. A. DiNoia, Pluralist Theology of Religions: Pluralistic or Non-Pluralistic?, in: Christian Uniqueness Reconsidered (vgl. Anm. 9), 119–134.

2. »Tiefe« Pluralisten

Die kulturell-linguistischen Pluralisten wie Lindbeck und Griffiths bereiteten den Weg für das, was wir die theologischen oder ontologischen Partikularisten nennen könnten wie S. Mark Heim, David Griffin und sogar John Cobb – die alle die radikale Unterschiedlichkeit sowohl des Heils als auch der letzten Realität behaupten. S. Mark Heim hat das vielleicht phänomenologisch wie theologisch am sorgfältigsten und geschicktesten ausgeführte Argument für Partikularismus herausgearbeitet, nämlich dass jede Religion ihr eigenes Ziel, ihr eigenes »Heil« verfolgt. Die vielen Religionen sind deswegen nicht unterschiedliche Wege zum selben Berggipfel. Jede geht den Weg den eigenen Berg hinauf. Für Heim trifft das sowohl auf die Gegenwart als auch auf die (eschatologische) Zukunft zu. Der Himmel wird keine Ebene sein, auf der alle zusammenkommen, sondern eine Reihe von Bergen, von denen aus sie sich gegenseitig sehen können.[14]

David Griffin und John Cobb stimmen mit Heim überein, aber sie gehen noch einen ontologischen Schritt weiter: nicht nur verschiedene Formen von Heil, sondern auch verschiedene Formen der letzten Wirklichkeit. Im Gegensatz zu dem, was Griffin *»identist pluralists«* nennt, die die Verschiedenheit der Religionen bejahen, aber deren Ursprung und Ziel in der gleichen (*»idem«*) letzten Wirklichkeit sehen, wie Hick oder Schmidt-Leukel oder ich selbst, schlägt er einen *tiefen Pluralismus* vor, der nicht nur die Pluralität von Religionen und Heilswegen anerkennt, sondern auch die Pluralität von letzten Wirklichkeiten. Cobb erkühnt sich sogar, die Kennzeichen von drei solchen letzten Wirklichkeiten zu identifizieren: die theistische, die akosmische und die kosmische.[15]

3. Komparative Theologie

Der stärkste und, wie ich zugeben muss, erfolgreichste Gegenvorschlag zu einer pluralistischen Religionstheologie kam von der neuen Bewegung der komparativen Theologie. Die komparativen Theologen behaupten, die pluralistischen Religionstheologen hätten nur einen theologischen Verkehrsstau geschaffen, in dem die verschiedenen Modelle sich gegenseitig anhupen, sich aber nie bewegen. Und

[14] Mark S. Heim, The Depth of Riches: A Trinitarian Theology of Religious Ends, Grand Rapids 2000.

[15] David Ray Griffin, Religious Pluralism: Generic, Identist, and Deep, in: Ders. (Hg.), Deep Religious Pluralism, Louisville 2005, 3–38. John B. Cobb Jr., Transforming Christianity and the World: A Way beyond Absolutism and Relativism, Maryknoll 1999, 184–186.

deshalb fordern komparative Theologen wie Francis X. Clooney und James Fredericks ein Moratorium für alle Formen von Religionstheologie. Ihr Schlachtruf wurde sozusagen: »Macht es doch einfach!« Springt doch einfach in das Studium der anderen Religionen oder den Dialog mit ihnen hinein, auch ohne alle eure theologischen Modelle schön beieinander zu haben. Lasst die Theologie dem Dialog folgen; lasst die Theorie der Praxis folgen. Pluralistische Religionstheologen, behaupten die komparativen Theologen, gleichen Anthropologen, die aus ihrem Lehnstuhl heraus allgemeine Behauptungen über andere Kulturen aufstellen, ohne diese jemals besucht zu haben.

Aber die kühnen Aussagen der komparativen Theologie gehen noch weit über eine Theologie der Religionen hinaus. Besonders Frank Clooney und seine Anhänger schlagen vor, dass *alle* christliche Theologie komparativ oder dialogisch vorgehen müsse. Wenn wir die von den anderen Religionen entdeckten Wahrheiten nicht verstehen, können wir unsere eigene christliche Wahrheit nicht wirklich oder nicht angemessen verstehen. Deshalb umschlössen die religiösen Quellen der christlichen Theologie nicht nur Schrift und Tradition, sondern auch Geschichte, Lehren und Erfahrung der anderen Religionen! Wir können verstehen, warum die komparativen Theologen mehr als ein theologisches Boot zum Schaukeln bringen.

4. Der Vatikan

Die klarste, stärkste und für viele katholische Theologen am meisten einschränkende Kritik einer pluralistischen Religionstheologie kam vom Vatikan, unter der theologischen Vormundschaft von Josef Ratzinger. Schon 1996 warnte Ratzinger von seinem Schreibtisch in der Glaubenskongregation aus, dass die neue pluralistische Religionstheologie und deren eingebauter Relativismus dabei sei, die Befreiungstheologie als die größte Bedrohung für das Wohlergehen der Kirche zu ersetzen. Insbesondere John Hick und mich griff er als die hauptsächlichste Bedrohung heraus.[16] Die schärfste und umfassendste Zensur jeglicher Form einer pluralistischen Religionstheologie kam 2000 mit der Veröffentlichung von *Dominus Iesus* durch die Glaubenskongregation. Ob es nun, wie viele

[16] Kardinal Josef Ratzinger, Relativism: The Central Problem for Faith Today, zugänglich über http:/www.ewtn.com/library/CURIA/RATZRELA.HTM (18. 1. 2013), gehalten auf einem Treffen mit den Präsidenten der Kommissionen für Lehrfragen der Bischofskonferenzen Lateinamerikas, abgehalten in Guadalajara, Mexiko, im Mai 1996.

katholische Theologen behaupten, eine Umkehrung oder ein glatter Widerspruch zu Richtung und theologischem Gehalt von *Nostra Aetate* und von *Dialog und Verkündigung* (und sogar von *Redemptoris Missio*) war, es war in jedem Fall ein donnerndes Beharren darauf, dass katholische Theologen verpflichtet sind, die absolute heilsmäßige *unicitas* Jesu Christi zu behaupten. Jesus als den einen und einzigen Retter in Frage zu stellen bedeutet, sich außerhalb der katholischen Gemeinschaft zu stellen. Oder um genauer zu sein: Man geht damit das Risiko ein, aus der katholischen Gemeinschaft *hinausgeworfen zu werden.*

Die Antwort der pluralistischen Religionstheologen

Wiederum würde ich gerne so kurz und klar wie möglich zeigen, wie diese zweite Runde von Kritiken den pluralistischen Religionstheologen die nächste Gelegenheit gegeben hat, ihr Projekt abzuklären oder zu korrigieren.

1. Antwort an die Partikularisten

Die Partikularisten haben viele von uns pluralistischen Religionstheologen daran erinnert, dass wir, obwohl wir uns Pluralisten nennen, doch auch ganz unvermeidlich *Inklusivisten* sind. Der einzige Weg, auf dem wir auf den religiös Anderen zugehen und ihn in unser Blickfeld bringen können, ist unsere eigene religiöse Perspektive. Wir können nicht sozusagen aus unserer jeweils eigenen religiösen Haut heraus, um den religiös Anderen ins Gespräch zu ziehen. Pluralistische Religionstheologen vergessen das, zu ihrem eigenen Schaden und noch mehr zum Schaden ihrer Dialogpartner. Zu vergessen, dass wir alle als Inklusivisten beginnen, macht es aber möglich, dass wir zu Imperialisten werden.

Auch das Beharren der Partikularisten darauf, dass die Unterschiedlichkeit der Religionen vorherrschend ist und jede inhärente Gemeinsamkeit verhindert, auch wenn das für die meisten pluralistischen Religionstheologen zu absolut (und zu universell!) gedacht ist, beinhaltet doch eine notwendige Ermahnung für das Projekt der pluralistischen Religionstheologie. Pluralistische Religionstheologen wie John Hick, Leonard Swidler und ich selbst müssen uns noch mehr anstrengen, um unseren Wunsch zu erkennen, »was gemeinsam ist« zwischen den Religionen, auszubalancieren mit unserer Erkenntnis, »was verschieden ist«. In der Tat, sobald die Universalität die Unterschiedlichkeit aufs Spiel setzt, wird sie verdächtig. Die Unterschiedlichkeit der Religionen zu verlieren oder zu verringern ist vielleicht ein größerer Verlust als der Gewinn an geschaffener Gemeinsamkeit.

Aber der Verlust an möglicher Gemeinsamkeit und Universalität ist auch ein Verlust, den sich unsere gefährdete globale Welt nicht leisten kann. Wenn Hans Küng recht hat mit der Behauptung, dass es ohne Frieden zwischen den Religionen keinen Frieden zwischen den Nationen geben wird, dann sind interreligiöser Dialog und interreligiöse Zusammenarbeit ein moralischer Imperativ an uns alle. Und das ist der Punkt, wo das partikularistische Modell anscheinend zusammenbricht. Wie Catherine Cornille in ihrem Buch *The im-Possibility of Interreligious Dialogue* so überzeugend argumentiert hat: Wenn die religiösen Traditionen der Welt, trotz ihrer unabänderlichen Unterschiedlichkeit, überhaupt nichts haben, was sie *miteinander verbindet*, dann werden sie wie Schiffe sein, die in der Nacht aneinander vorbeifahren (und wir können nur hoffen, dass sie es ohne Gewalt tun!).[17]

Die Kritik der Partikularisten hat es den pluralistischen Religionstheologen also möglich gemacht, ihre Ziele abzuklären: nicht nur die Gültigkeit vieler Religionen zu begründen, sondern auch den Dialog aller Religionen zu fördern. Deswegen habe ich mich auch dafür ausgesprochen, dass unser Projekt genauer als *Gegenseitigkeits*modell bezeichnet werden sollte denn als pluralistisches Modell.[18]

Die Partikularisten haben mir und anderen auch einen unbequemen, aber nötigen Rippenstoß verpasst, genauer zu sein in dem, was unserer Meinung nach die vielen Religionen gemeinsam haben. Ich habe früher schon eine Veränderung oder Korrektur vorgenommen von meinem Vorschlag einer theozentrischen Ausrichtung der Religionen hin zu einer soteriozentrischen. Und ins Herz dieser *Soteria*, oder dieses öko-menschlichen Gedeihens, von dem ich dachte, alle Religionen würden es anstreben, setzte ich *Gerechtigkeit.* Aber, ernüchtert durch MacIntyres scharfe Frage »Wessen Gerechtigkeit?« und noch mehr durch die Mahnungen von D'Costa und Heim, dass Gerechtigkeit, während sie für die monotheistischen Religionen ein Grundanliegen ist, anscheinend in Religionen wie Buddhismus und Taoismus überhaupt keine große Rolle zu spielen scheint, habe ich ein Anliegen vorgeschlagen, das ich für vorrangiger als Gerechtigkeit halte und das sich in allen oder zumindest den meisten religiösen Schriften findet. Bevor Gläubige aus unterschiedlichen Traditionen und Erfahrungshorizonten zusammenkommen, um Gerechtigkeit zu fördern, sind sie schon vereint in ihrer

[17] Catherine Cornille, The im-Possibility of Interreligious Dialogue, New York 2008.
[18] Paul F. Knitter, Introducing Theologies of Religions, Maryknoll 2002, 110.

Antwort auf *unnötiges Leiden von Mensch und Umwelt.* Solidarität mit den Leidenden dieser Erde und mit der leidenden Erde selbst kann der Ausgangspunkt und die Bühne für einen neuen, praxisorientierten interreligiösen Dialog sein. Ich kann darauf hoffen, weil ich es bereits geschehen sehe.

2. Antwort an die tiefen Pluralisten

Wie wir gesehen haben, dehnen die tiefen Pluralisten das Beharren der Partikularisten auf der Dominanz der Unterschiedlichkeit bis in die Natur des Göttlichen selbst hinein aus. Für sie ist Gott oder die letzte Wirklichkeit nicht einfach eins. Gott ist auch viele. Aber die pluralistischen Religionstheologen antworten darauf, indem sie feststellen, dass diese tiefen Pluralisten anscheinend dem, wie tief sie gehen möchten, Grenzen setzen. Nachdem Heim, Griffin und Cobb darauf bestehen, dass es viele verschiedene Formen von Heil und letzter Wirklichkeit gibt, fahren sie fort, die Notwendigkeit von Gespräch oder echten Beziehungen zwischen diesen verschiedenen Formen letzter Wirklichkeit zu behaupten.

Mit anderen Worten: Es gibt viele letzte Wirklichkeiten, aber sie sind nicht *inkommensurabel* (also doch mit dem gleichen Maß messbar). Obwohl sie immer viele bleiben werden, sind sie auch zur Einheit berufen. Hier würden Heim und andere gut daran tun, ihren Gebrauch der trinitarischen Theologie auszudehnen. Mitten in der unabänderlichen Unterschiedlichkeit der Religionen gibt es etwas, was sie alle miteinander verbindet – etwas noch Grundlegenderes als die Unterschiedlichkeit, etwas wie »die göttliche Natur«, die die Unterschiedlichkeit der »Personen« in der Trinität eint. Solch ein Bild von religiöser Unterschiedlichkeit sieht sicherlich aus wie das pluralistische Modell, das John Hick und seine Kollegen versucht haben zu fördern und zu klären.

Die tiefen Pluralisten aber erinnern in einem gewissen Sinn uns restliche pluralistische Religionstheologen daran, dass wir vorsichtiger sein müssen darin, wie wir davon reden, was Religionen gemeinsam haben. Unsere Suche nach Gemeinsamkeiten und Einheit von Religionen kann nur Erfolg haben, wenn wir die Unterschiedlichkeit von Religionen anerkennen und pflegen. Das Ziel pluralistischer Religionstheologen sollte nicht »*Ex pluribus, unum*« sein, sondern »*Ex pluribus, unitas*«. Die »*unitas*« schließt die »*plures*« nicht aus, sondern braucht sie in der Tat.

3. Antwort an die komparativen Theologen

Komparative Theologen erinnern uns pluralistische Religionstheologen an etwas, das sogar schon Karl Rahner vor langer Zeit demütig erkannt hat, als die Religionstheologie noch in den Kinderschuhen steckte: dass keine theologische Einschätzung anderer Religionen vollständig ist, solange sie nicht durch tatsächliche Studien von oder Dialog mit Gläubigen anderer Religionen sozusagen erprobt wurde. Rahner gab gleichzeitig zu, dieser Aufgabe nicht gewachsen zu sein.[19] Komparative Theologen wie Clooney und Fredericks werden zwar Rahner Beifall zollen, aber seine Anhänger noch weiter vorwärtsdrängen: Eine Theologie der Religionen muss nicht nur durch ein komparatives Engagement mit anderen Religionen erprobt werden, sie muss davon geformt werden. Die Theorie der Theologie wird aus der Praxis von Studium und Dialog kommen.

Aber wenn wir pluralistische Religionstheologen viel von den komparativen Theologen lernen müssen, so haben wir doch auch unsere respektvolle Gegenkritik. Ja, man kann kein Religionstheologe sein, ohne ein komparativer Theologe zu sein. Aber – und das ist die kritische Antwort – das ist keine Angelegenheit von »erst dies, dann das«, sondern eher von gleichzeitig »sowohl dies als auch das«. Chronologisch zwischen der Arbeit eines Religionstheologen und der eines komparativen Theologen zu trennen, ist sowohl gefährlich als auch schlicht unmöglich.

Hugh Nicholson zeigt klar und deutlich, worin diese Gefahr besteht. Er gehört selbst zur neuen Generation von komparativen Theologen und hat kürzlich ein Buch veröffentlicht, das erfolgreich deutlich macht, dass komparative Theologen, die in ihren Studien anderer Religionen die Theologie mit einem Moratorium belegen, wie Menschen in einer Therapie sind, die ihre Gedanken und Gefühle unterdrücken, nur um ihnen dann in sublimierter oder anders gearteter Form wieder ins Gesicht sehen zu müssen.[20] Unsere theologischen Überzeugungen sind wie die kulturelle oder existentielle Haut, die wir nicht einfach abstreifen können. Sie sind da und geben unserem Bild von anderen Religionen Farbe, ob wir das merken oder nicht.

In einem kürzlich erschienenen Artikel habe ich versucht, mein Gespräch mit meinen komparativistischen Freunden spielerisch, aber ernsthaft vorwärts zu

[19] Karl Rahner, Christianity and the Non-Christian Religions, in: Theological Investigations, Vol. 5, Baltimore 1966, 115–134.

[20] Hugh Nicholson, Comparative Theology and the Problem of Religious Rivalry, New York 2011, 14, 36f.

bringen. Ich habe versucht, ihnen zu zeigen, dass komparative Theologen, wenn sie ihr Geschäft wirklich so betreiben, wie sie das wollen, sehr wie pluralistische Religionstheologen aussehen! In ihrer schon zitierten Magisterarbeit *The im-Possibility of Interreligious Dialogue* umreißt Catherine Cornille die »Tugenden«, deren sich ein komparativer Theologe befleißigen muss, um die Früchte komparativer Theologie zu erlangen. Unter den fünf Tugenden, die sie so schön beschreibt, bringen mich »Demut«, »Vertrauen in das, was verbindet«, »Einfühlungsvermögen« und besonders »Gastfreundschaft« dazu, mit einem Schuss koboldhafter Ironie anzudeuten, dass alle diese Tugenden nur von einer pluralistischen Religionstheologie beherzigt werden können. Ein »praktizierender komparativer Theologe« ist daher ein »anonymer pluralistischer Religionstheologe«![21]

4. Antwort an das Lehramt

Als ein römischer-katholischer Theologe, der permanent um seine Identität ringt, muss meine Antwort an das Lehramt anders ausfallen als meine Antworten auf die anderen Kritiken an meinen pluralistischen Überzeugungen. Als katholischer Christ erkenne ich die Autorität an, die meine Gemeinschaft dem Lehramt der Bischöfe zuerkennt, besonders dem Bischof von Rom. Ich muss mir daher meine Arbeit als Theologe in Beziehung mit der Autorität des Lehramts vornehmen. Aber ich bin auch ein Kind des Zweiten Vatikanums und folge der Ekklesiologie des Konzils und erkenne damit auch die »Autorität« des Lehramts der Theologen und besonders des *sensus fidelium* an.

Und wenn das Lehramt darauf besteht, dass man nicht die absolute *unicitas* Jesu in Frage stellen und sich noch als römisch-katholisch bezeichnen kann, so fühle ich mich getrieben zu fragen: Stimmt das wirklich? Ich muss das vorsichtig, respektvoll, demütig tun. Aber ich muss es tun. Warum? Nicht nur, weil ich mich persönlich und existentiell nicht von dieser Frage befreien kann, sondern auch und viel dringender aus pastoralen Gründen, aufgrund meiner Verantwortung als christlicher Theologe: Dies ist ein strittiger Punkt, der viele Christen umtreibt, eine Frage, um derentwillen viele die Kirche verlassen, weil sie von der Kanzel oder von der Kathedra Petri keine zufriedenstellenden Antworten bekommen.

[21] Siehe meinen Artikel: Virtuous Comparativists Are Practicing Pluralists, in: Sharada Sugirtharajah (Hg.), Religious Pluralism and the Modern World: An Ongoing Engagement with John Hick, New York 2012, 46–57.

So habe ich als römisch-katholischer Christ die Verantwortung, die Verpflichtung zu erforschen, wie wir eine Hingabe an die Einzigartigkeit (ich bevorzuge den Ausdruck »Besonderheit«) Jesu verstehen und leben und gleichzeitig eine Offenheit für die Einzigartigkeit anderer religiöser Figuren und Traditionen hochhalten können. Ich glaube ganz fest, dass wir eine dialogische Christologie entwickeln können, die sich auf eine kenotische und prophetische Christologie gründet, in der, wie Krister Stendhal es formulierte, »ich mein Lied für Jesus … von ganzem Herzen singen kann, ohne dass ich es dabei nötig hätte, den Glauben anderer klein zu machen«[22].

Anhang: Pluralistische Religionstheologie und Mission

Die Zeit erlaubt es mir nicht, noch ein Thema ausführlich zu diskutieren, das sich eigentlich aus diesem historischen Rückblick zur Entwicklung einer pluralistischen Religionstheologie in den letzten Jahrzehnten ganz natürlich entwickeln würde: Zugespitzt formuliert: Wie kann man gleichzeitig ein pluralistischer Religionstheologe und ein Missionar sein? Das war auch der Hauptgrund, warum Kardinal Ratzinger und die Glaubenskongregation *Dominus Iesus* herausbrachten: um die inhärent missionarische Natur des Christentums gegen die verheerenden Angriffe der neuen pluralistischen Agitatoren zu schützen.

Wie ich auch an anderer Stelle schon ausgeführt habe, glaube ich fest, dass meine Identität als Missionar, die in meinen vielen Jahren als Mitglied der Gesellschaft des göttlichen Wortes geformt wurde, durch ein pluralistisches Verständnis anderer Religionen und des Christentums nicht nur geschützt, sondern sogar vertieft werden kann.[23] Lassen Sie mich Ihnen hier in aller Kürze zwei Kernstücke dieser Überzeugung darstellen, die wir vielleicht in der anschließenden Diskussion genauer unter die Lupe nehmen können:

[22] Krister Stendahl, Meanings: The Bible as Document and as Guide, Philadelphia 1984, 133 (eigene Übersetzung). Siehe auch meine eigenen Anstrengungen, so eine kenotische und prophetische dialogische Christologie zu entwickeln in: Christianity and the Religions: A Zero-Sum Game? Reclaiming ›The Path Not Taken‹ and the Legacy of Krister Stendahl, in: Journal of Ecumenical Studies 46 (2011), 5–21.

[23] Paul F. Knitter, Jesus and the Other Names: Christian Mission and Global Responsibility, Maryknoll 1996, 102–167. Ders., Mission and Dialogue, Missiology 33 (2005), 199–210. Ders., The Transformation of Mission in the Pluralist Paradigm, in: Andrés Torres Queiruga/Luiz Carlos Susin u. a. (Hg.), Pluralist Theology: The Emerging Paradigm, in: Concilium 2007/1, Canterbury 2007, 93–101.

1. In einer pluralistischen Religionstheologie wird Mission als Dialog verstanden

Wenn wir die volle Natur des Dialogs als ein Engagement mit dem anderen verstehen, in dem alle Beteiligten sowohl sprechen als auch zuhören, sowohl Zeugnis geben als auch empfangen, dann würde Dialog die Berufsbeschreibung eines Missionars ganz gut zusammenfassen – besonders die neuere Berufsbeschreibung aus *Dialog und Proklamation* vom Vatikan. Den anderen in ein Gespräch ziehen, sich selbst für die Ansichten anderer Religionen öffnen, wird nun als essentielles Element in der »Mission der Evangelisation« der Kirche gesehen. Indem ich der Leitung der letzten Generalkongregationen der Gesellschaft des göttlichen Wortes folge, würde ich noch ein entscheidendes Adjektiv zu diesem Verständnis von Mission als Dialog hinzufügen: Der Dialog, also die Mission, muss *prophetisch* sein. Um wirklich christlicher Dialog mit anderen Religion zu sein – also um ein Dialog zu sein, der auf Jesu besonderer Verkündigung des Reiches Gottes beruht –, muss unser Dialog die prophetische Ansage enthalten, dass der jüdische Gott Jesu zur Gerechtigkeit aufruft, besonders für die Armen und Ausgeschlossenen. – Solch ein Bild vom Missionar als einem dialogischen Propheten wird, nehme ich stark an, zu mehr neuen missionarischen Berufungen führen als das Bild des Missionars als Seelenretter.

2. In einer pluralistischen Religionstheologie werden Missionare als die»komparativen Theologen« der Kirche »auf grassroots-Level« verstanden

Mission als Dialog wird nicht nur prophetisch sein, sondern auch *komparativ*. Hier unterstütze ich die komparativen Theologen vollkommen in ihrer Überzeugung, dass die Aufgabe der Theologie es erfordert, dass wir das Evangelium im Dialog mit anderen religiösen Traditionen und Kulturen verstehen. Das ruft nach einer fortwährenden Inkarnation der Kirche *inter gentes*, nicht nur nach der Verkündigung der Kirche *ad gentes*. In der Tat haben die asiatischen Bischöfe verkündet: Dialog ist »[a] [n]ew [w]ay of [b]eing [c]hurch«[24].

Wenn also Dialog mit anderen Religionen und Kulturen nun essentiell ist für das fortwährende Leben der Kirche, wenn Theologie komparativ sein muss, um

[24] So Thomas C. Fox, Pentecost in Asia: A New Way of Being Church, Maryknoll 2003.

Theologie zu sein, dann sind Missionare die komparativen Theologen der Kirche auf *grassroots-Level.* Missionare sind diejenigen, die sicherstellen, dass die christliche Gemeinschaft lebendig bleibt – durch Engagement, Herausforderungen, Lernen von den anderen. Mission als Dialog ist essentiell für das Leben und die Gesundheit der Kirche selbst.[25] Und so eine Mission, so ein Verständnis von Kirche, kann am besten von einer pluralistischen Religionstheologie genährt werden.

So ist eine pluralistische Religionstheologie immer noch eine im Fortschreiten begriffene Arbeit. Aber sie macht Fortschritte, und ich glaube, dass es immer mehr Christen klar werden wird – auch dem römisch-katholischen Lehramt, hoffe ich, –, dass es nicht unvereinbar miteinander ist, ein pluralistischer Religionstheologe und ein Jünger Christi zu sein, der die Mission Christi weiterträgt. In der Tat, wenn, wie John Cobb behauptet, »Jesus der Weg ist, der für andere Wege offen ist«, dann ist religionstheologischer Pluralismus im Herzen von christlicher Jüngerschaft und christlichem Glauben.

(Prof. Dr. Paul F. Knitter ist Paul Tillich Professor of Theology, World Religions and Culture am Union Theological Seminary in New York City)

ABSTRACT

The paper starts by summarizing some major criteria common to a pluralist theology of religions, proceeding to an introduction of the thought of John Hick allegedly being a father of the pluralist option. After Hick had introduced the change from Church- and Christ-centeredness to God-Centeredness, Raimon Panikkar focused on the intra-religious dialogue starting from his own double identity between Christianity and Hinduism. The author himself tried to make a renewed Christ-centeredness compatible to the Theo-centeredness of Hick. He describes his way to the theology of liberation and to soteriocentrism. Various critiques and challenges to the pluralist theology and the responses of pluralist theologians are reported, particularly the recent comparative theology and her claim to bypass any theology of religions.

[25] Ich versuche, diese These zu entwickeln in: The Missionary as Grassroots Comparative Theologian: Towards a Virtue-Based Missiology, in: Verbum SVD 51/2 (2010), 131–149.

An Islamic Theology of Religions: Abdolkarim Soroush's Interpretation of Religious Pluralism

Heydar Shadi

»My heart has become capable of every form:
a pasture for gazelles,
a temple for idols
a monastery for Christian monks,
the Pilgrims' ka'ba,
the tablet of the Torah,
and the Book of the Koran.
I follow the religion of Love;
whatever way love's camel takes,
that is my religion, my faith.«[1]

Ibn al-Arabi (1165–1240)

1. Introduction: Abdolkarim Soroush, an intellectual biography

Abdolkarim Soroush (born 1945) played the role of a »premier ideologue« of Islamic revolution in the early 1980s, but soon, since the late 1980s, he turned into a dissident of the Islamic Republic.[2] In the 1990s he was described by some, though in a seemingly orientalistic manner, as ›the Martin Luther of Islam‹.[3] In addition to intellectual and theological reforms, Soroush has also been regarded

[1] Muhyiddin Ibn Arabi, Tarjuman al-Ashwaq: a collection of mystical odes, ed., trans. and commentary by Bernard Nicholson, London 1911, 19 (Arabic text); 69–70 (English translation and commentary).

[2] Valla Vakili, Abdolkarim Soroush and critical discourse in Iran, in: John L. Esposito/John O. Voll, Makers of Contemporary Islam, Oxford/New York 2001, 153.

[3] Robin Wright, Scholar emerges as the Martin Luther of Islam, in: The Seattle Times, February 12, 1995; http://community.seattletimes.nwsource.com/archive/?date=19950212&slug=2104526 (20 March 2012).

as an influential intellectual figure in the democratic movement in post-revolutionary Iran.[4] Soroush accompanied the post-revolutionary democratic movement in Iran in both its phases in the 1990s, which led to the presidency of Mohammad Khatami from 1997 to 2005, and also in its second phase since 2009 that is known as »green movement«.

Soroush's life as a reformist Muslim thinker and critic of conservative Islam started with the publication of his first main theory *The Contraction and Expansion of Religious Knowledge*[5] in 1987. Until this time Soroush's critiques were understood within the borders of the Islamic Republic, and they were interpreted as mere debates within a family. However, with the new theory Soroush began targeting the very foundations of the Islamic Republic. Soroush rejected any claim on having ›the exclusivist true interpretation of Islam‹, which was the very foundation of the theocracy in Iran. Included in his criticism was the authority of one special group, namely the clergy responsible for the interpretation of a given religion.

The next phase of Soroush's theory of religion started with his theory of *The Expansion of Prophetic Experience*.[6] While in the *Theory of the Contraction and Expansion of the Religious Knowledge* Soroush described the change and evolution of the religious knowledge and considered religion itself as eternal, divine and unchangeable, in *The Expansion of Prophetic Experience* Soroush regarded the religion itself to be human and contextual. Soroush now argued that religion, meaning the Koran, is itself the interpretation by Mohammad of his spiritual experience with transcendence; an interpretation influenced by the Prophet's sociological and historical context, continually expanding during his prophetic working. In this theory, which he later in 2007 described in a controversial interview as *Koran: Word of Mohammad*[7], Soroush often referred to Sufi masters,

[4] Behrooz Ghamari-Tabrizi, Islam and Dissent in Postrevolutionary Iran: Abdolkarim Soroush, Religious Politics and Democratic Reform, London 2008, 15.

[5] Abdolkarim Soroush, Qabz va bast-e teorik-e shariat: nazariyye-ye takamol-e marefat-e dini (The contraction and expansion of religious knowledge), Tehran 1386/2007, 9th print, first publication 1369/1990.

[6] Abdolkarim Soroush, Baste Tajrobe-ye Nabavi (The expansion of prophetic experience), Tehran 1999, (English translation: Abdolkarim Soroush, The Expansion of Prophetic Experience: Essays on Historicity: Contingency and Plurality in Religion, trans. by Nilou Mobasser, ed. with Analytical Introduction by Forough Jahanbakhsh, Leiden 2009.

[7] Abdolkarim Soroush, The word of Mohammad, interview: Michel Hoebink, Soroush's official website, December 2007; http://www.drsoroush.com/English/Interviews/E-INT-The%20Wordo%20of%20Mohammad.html (2 November 2012); reprinted in: Abdolkarim Soroush, The Expansion of Prophetic Experience, 271–275.

such as Rumi and Ibn Arabi, and also to some contemporary Christian liberal theologians, such as John Hick. In this article Soroush's main works and arguments for religious pluralism will be discussed.

2. Soroush's concept of religious pluralism

Pluralism, including religious pluralism, is a main concept in Soroush's theory of religion. Soroush's whole thought can, from one perspective, be introduced as an argument for pluralism. His two main theories *The Contraction and Expansion of Religious Knowledge* and *The Expansion of Prophetic Experience* indeed support different types and levels of religious pluralism. The first theory provides a base for intra-religious pluralism by regarding different discourses within a religion as different interpretations of religious texts (the Koran and Sunnah). The second theory offers a base for inter-religious pluralism through considering different religions such as Islam, Christianity and Buddhism as interpretations of different religious experiences. Soroush considers »religious pluralism« along with »religious democracy« as being »the fruits« of his first main theory *The Contraction and Expansion of Religious Knowledge*.[8]

Soroush understands religious pluralism as part of a universal and comprehensive pluralism. Warning people of considering pluralism as a negative thing, Soroush interprets pluralism as a positive characteristic of the world, a characteristic that could/should be appreciated as being a richness and a beauty of the human world, making it colourful and more attractive. Soroush holds that the plurality of religions is not a sign of the corruption of truth, but the richness of God's manifestations. Pluralism is, according to Soroush, »the recognition of plurality and a diversity regarding the different religions, cultures and human experience as irreducible and incomparable [to evaluate them and judge them as true or false and better or worse] and understanding the human world as a colourful garden«.[9]

Soroush interprets religious plurality and diversity as the requirement of human cognition and the nature of reality, considering the very plurality as being a

[8] Abdolkarim Soroush, Text in Context, in: Liberal Islam: a sourcebook, ed. by Charles Kurzman, New York 1998, 244–251, 251.

[9] Abdolkarim Soroush, Seratha-ye Mostaqim (Straight Paths), Tehran1999, 1; English edition: Abdulkarim Soroush, The straight paths, in: The Expansion of Prophetic Experience, 119–154, 119. (After this just the original edition of Seratha-ye Mostaqim will be cited. However, the citations are from the English edition: Straight paths.)

witness to the truth of all religions. Soroush rejects an exclusivist approach that views religious plurality as the result of a deviant plot that has to be fought:

> »Religious pluralism is an epistemological and religio-sociological theory ... that holds that the diversity in the world of religiosity, which appealingly is not removable, is a natural phenomenon that discloses the truth of many religions and religious people. And [the diversity in the world of religiosity discloses] that it [diverse religions] is the requirement of human cognitive system and the multi-aspect structure of reality. This is compatible with the guidance, pleasure seeking instinct and the happiness of humans. It is not the case that wrong cognition or plot planning, bad will, truth-escaping, egocentricity, or cognitive backwardness, wrong selection or the victory of the Devil to play a major role on it.«[10]

3. Soroush's works on religious pluralism

Religious pluralism has been discussed directly or indirectly in several places in Soroush's works. However, Soroush devoted a book with the controversial title *The Straight Paths* (Seratha-ye Mostaqim) to religious pluralism. The title has been controversial because of its explicit contrast to one of the first verses of Quran, a verse which is repeated at least ten times during the daily Islamic prayers: »*ihdina al-sirat al-mostaqim*« (01:08) (guide us to the straight path) in which the prayer asks God to guide him or her to »the straight path«. Soroush uses the plural form of »path« (serat*ha*) to suggest that there is not just one straight and true path, namely Islam, but that there are, in fact, more than one.

Seratha-ye Mostaqim is indeed a collection of different works including two articles by Soroush, a discussion and an interview with Soroush, and also five articles about religious pluralism, but from different authors, among others, translated articles of several Western philosophers of religion, namely John Hick and Alvin Plantinga. The cornerstone of the book is Soroush's article *The straight paths: a word on religious pluralism: positive and negative* (seratha-ye mostaqim: sokhani dar pluralism-e dini: mosbat va manfi). In this article, after making some classifications concerning religious pluralism, Soroush presents several arguments for religious pluralism.

The straight paths: a word on religious pluralism: positive and negative suggests that there are two different main approaches to (religious) pluralism: posi-

[10] Ibid. I-II.

tive and negative.[11] Soroush holds that positive pluralism derives from the inherent richness of truth or knowledge. Accordingly, since the truth is multi-aspect, there exist different but authentic and equal truths: »Because the texts and religious experiences accept different interpretations, because the light and reality have many waves … we have accepted the plurality.«[12] Negative pluralism, according to Soroush, is rooted in a lack of certainty, truth, or coherency. It is not because of the richness of reality but poverty of our knowledge: »In this pluralism, which is also acceptable and reasonable, there is always something not there; certainty or truth or consistency etc. It is indeed an inauthentic pluralism but important and inevitable.«[13] In negative pluralism we accept and acknowledge the diversity and plurality, because the ultimate truth is hidden and there is no possible way to clarify this truth.

Islam and Religious Pluralism, a lecture that was held on 11 April 1999 in London, is another source where Soroush discussed religious pluralism.[14] In addition to the arguments for religious pluralism, Soroush also discusses in this lecture the chronology of the development of the idea in his thought, and he also reveals more about his sources. Soroush maintains that the main source of inspiration for his theoretical formulation of religious pluralism came from Islamic tradition, namely Sufism. In addition, Soroush talks about the similarity between his ideas, including religious pluralism, and Western thought, especially contemporary epistemology, philosophy of science, hermeneutics and liberal Christian theology. However, Soroush explicitly claims that at the time of the formation of his theories in the 1980s he was not familiar with most of similar Western philosophical theories.

4. Soroush's arguments for religious pluralism

In *Seratha-ye Mostaqim* Soroush introduces ten arguments for religious pluralism. He divides these into two categories, positive and negative. The ten points can be classified by the following titles:

[11] Ibid. 28–29.
[12] Ibid. 28.
[13] Ibid. 29.
[14] The audio file of this lecture is available on Soroush's official website: http://drsoroush.com/Lectures-English.htm (20 October 2012).

A. Positive:

1. Diversity of interpretations of religious texts (2–6)
2. Diversity of interpretations of religious experience, Hick's noumenon-phenomenon distinction, manifestation of the absolute in the limited/formless within forms (7–24)
3. The diversity of religions as a fake dispute to hide the truth (24–26)
4. The richness of the truth/immersion of truth within truth (26–28)

B. Negative

5. One destination, many paths (29–33)
6. The comprehensiveness of God's guidance (33–36)
7. Mix of truth and falsehood (36–41)
8. Kinship and complementarity of truths (41)
9. Pluralism of values and causes/the universal and comprehensive pluralism (41–45)
10. Religiosity is caused and not reasoned (45–47)

Soroush maintains that the first two of these arguments are the main arguments for religious pluralism: different interpretations of religious text (*The contraction and Expansion of Religious Knowledge*) and different interpretations of religious experience (*The Expansion of Prophetic Experience*).[15] This is indeed related to what was said in the previous chapter that hermeneutics and interpretivity have a central position in Soroush's epistemology. If the core of Soroush's thought is pluralism, the main concept aiding Soroush's argument for this pluralism is the hermeneutics. A hermeneutic approach entails plurality of readings and interpretations: »humans need interpretation in encountering both the revealed books and the Transcendent. They should disclose the silent text or raw [religious] experience. … This discovery and disclosure has no single form and method and becomes easily diverse and plural. This is the secret of the birth and eligibility of intra- and inter-religious pluralism.«[16]

[15] Soroush, Seratha-ye Mostaqim, 2.
[16] Ibid.

4.1 The contraction and the expansion of religious knowledge: intra-religious pluralism

The contraction and expansion theory is based on distinguishing between religion and religious knowledge as well as its central claim that religious knowledge is human understanding of religion. According to this argument, religion itself is constant and eternal, unlike religious knowledge which is malleable and subject to change and, hence, plural. Soroush argues that religious knowledge differs from religion in three aspects: First of all, religion is sacred and divine, but religious knowledge is human and secular. Secondly, religion is constant and does not change, but religious knowledge is temporal and changeable. Thirdly, religion is perfect, but religious knowledge is imperfect.[17]

These characteristics of religious knowledge derive, according to Soroush, from its human origin. Religious knowledge is humanity's attempt at understanding religion, text and tradition. The religion (text) is in itself silent, thereby allowing humans to interpret and let it speak. However, as humans allow the text to speak from different perspectives and so-called different ›hermeneutic situations‹, different ›readings‹ and interpretations of a specific given religion (text) do result. Soroush suggests that religious knowledge is not only, in a specific given time, diverse (horizontal diversity), but that it is also fluid and able to change from one time to the other (veridical diversity). Soroush argues that every given interpretation is based on the expectations, questions and the presuppositions of the interpreter and that these expectations, questions and presuppositions come from sources outside of religion. These sources outside of religion (other fields of knowledge, socio-political conditions etc.) are in constant evolution and change, so the interpreter, accordingly, always has different expectations, questions and presuppositions of his or her religion. Therefore the interpretation of religion (religious knowledge) is fluid:

> »There is no interpretation without expectation, question or presupposition. As these expectations, questions and presuppositions come from outside of religion and are changeable and fluid; science, philosophy and human achievements are on the increase, change and evolution, so, the interpretations that are done based on these questions, expectations and presuppositions, and these will diverse and change.«18

[17] Soroush, Qabz va bast-e teorik-e shariat, 23.
[18] Soroush, Seratha-ye Mostaqim, 2–3.

Religious knowledge, human interpretation of religion, is influenced by other realms of episteme, namely science, philosophy and mysticism.[19] As all these fields are subject to change and evolution, thus religious knowledge is also subject to change and evolution. This theory is based on a distinction between religion in itself and religious knowledge and argues for the diversity and plurality of religious knowledge which is summarized by Jahanbakhsh in the following propositions:

- »From an epistemological and historical point of view, religion is different from the understanding of religion.
- Religion per se is divine, eternal, immutable and sacred.
- The understanding of religion is a human endeavour like any other, as is for instances the attempt to understand nature. Thus religious knowledge is not sacred merely an attempt at understanding.
- In as much as it is a human endeavour, the understanding of religion is affected by and in constant exchange with other fields of human knowledge.
- Religious knowledge is in flux, relative, and time-bound.
- This being the case, religious knowledge is in flux, relative, and time-bound.«[20]

In other words, Soroush, similar to some theories in hermeneutics and sociology of knowledge, argues that religious knowledge is just a human interpretation of religion and as fallible human beings our interpretations are based on our presuppositions, expectations, prejudices, needs and goals. As different people in different times and societies have different presuppositions, expectations and goals, according to their unique historical, social and scientific situation, so the interpretations differ among each other. The diversity of interpretations, according to Soroush, is the result of both the human cognition system and also of the particular structure of the given text.

Soroush refers to different examples from the history of evolving Islamic tradition, ranging from the discussion about the meaning of Satan to the study of the microbe and the interpretation of the hereafter with the aid of Aristotle's matter and form concepts. He does this in order to justify the main premise of his argu-

[19] Soroush, Qabz va bast-e teorik-e shariat, 82.
[20] Forough Jahanbakhsh, Islam, Democracy, and Religious Revival in Iran (1963–2000) from Bazargan to Soroush, Leiden 2001, 148.

ment: the interaction between religious knowledge and other realms of human knowledge.[21]

In his theory Soroush holds that there is no »un-interpreted Islam« and that Islam is just a collection of interpretations of Islam. »Religious knowledge is nothing but these right and false interpretations.«[22] It is the interpreter, along with his psychological and social condition, in other words, his expectations, his questions, his assumptions, his interests and his knowledge, that determine the meaning and understanding of a text. Since these assumptions, questions, knowledge etc. come from sources outside of religion and this outside is changeable, the interpretation of religious texts is, accordingly, changeable and falsifiable. Science and philosophy as well as other achievements of humanity are constantly increasing, decreasing and changing. Inevitably the interpretations of religious text, which are produced according to the available knowledge and conditions, will also be changeable. Soroush mentions the interaction of theology and linguistics as an example to show how different fields of knowledge influence religious knowledge: »Modern linguistics, for example, can create new problems for religion; take the question of whether religious propositions can be meaningful or not. Theologians who try to address this question will inevitably familiarize themselves with the principles of modern philosophy.«[23]

In the formulation of this argument Soroush uses some contemporary views from epistemology and the philosophy of science. Accordingly, Soroush mentions in different places that he has applied some concepts from contemporary philosophy of science to the study of religion. As science is the human understanding of nature, religious knowledge is the human understanding of religion. Soroush says in this regard: »I remember the first thesis went roughly something like this: Religiosity is people's understanding of religion just as science is their understanding of nature. ... At any rate, my philosophical understanding of scientific knowledge as a collective and competitive process and my subsequent generalization of this understanding to religious knowledge opened new gates for me.«[24]

[21] Soroush, Qabz va bast-e teorik-e shariat, 220.

[22] Soroush, Seratha-ye Mostaqim, 4.

[23] Abdolkarim Soroush, Intellectual autobiography: an Interview, in: Reason, Freedom, and Democracy in Islam: The Essential Writings of Abdolkarim Soroush, trans. annotated and with a critical introduction by Ahmad Sadri/Mahmud Sadri, New York 2000, 16.

[24] Soroush, Intellectual autobiography: an Interview, 14.

Soroush suggests that this idea, the interpretative nature of religious knowledge, can also be found in the Islamic tradition. What has been suggested in some hadiths, that the Koran is multi-layered having seventy layers of meaning, or that some verses of the Koran have been revealed for the use of a people who will come in ›the end time‹, offers the proof, as Soroush holds, of this idea.[25] Another hadith that Soroush finds in connection with the diversity of religious knowledge is a hadith that indicates that the receiver of knowledge is able to understand this knowledge better than the one who mediates it: »there can be a scholar who takes the knowledge to somebody who knows more than the scholar.«[26] Soroush also appeals to diversity and plurality in the interpretation of the Koran and in fiqh as a confirmation of the diversity in Islamic intellectual tradition: »We have been always pluralistic in Koran interpretation. We have named nobody as the *seal* of Koran exegete experts (*khatam al-mofasserin*) or the seal of interpreters (*khatam al-sharehin*).«[27] However, Soroush implicitly blames his intellectual predecessors, claiming that they did not recognize this fact or did not theorize on it. Every sect and group, Soroush maintains, considered itself as being the true holder of truth and the other sects as being wrong. According to Soroush, nobody contemplated the other aspects and the meaning of this plurality. They did not notice, Soroush continues, that we cannot simply say that we are right and the inhabitants of paradise purely by chance, but the others are wrong and the people of Hell also purely by chance.

Soroush named this theory *Contraction and Expansion of Religious Knowledge* and published it in 1988 in an intellectual journal called *Keyhan e farhangi*.[28] This theory is considered a turning point in religious reform discourse in Iran

[25] Soroush refers to a collection of hadiths, which suggest that Quran has baten or botun (inner layers). For example: »It has been narrated from the Prophet: »The Koran has a surface and a hidden layer. Its hidden layer has another layer till seven layers, and in another hadith »till seventy layers«, and in another hadith »till seven thousands layers.« Sheykh Seyyed Heydar Ameli, Nass al-Nusus fi sharh Fosus al-Hikam li Muhy al-Din al-Arabi, ed. by Henry Corbin/Othman Ismail Yahya, Tehran: The Iranian Studies branch of the Institute of Iran and France for Scientific Researches 1975, 72.

[26] Abu Abdullah Mohammad Ibn Abdullah al-Hakim al-Nisaburi, al-Mustadrak ala al-Sahihayn, Kitab al-'Im, hadith no. 303, Beirut 1998.

[27] Soroush, Seratha-ye Mostaqim, 4.

[28] Abdolkarim Soroush, Bast va qabz-e theroic-e shariat I, Keyhan-e Farhangi, no. 50, Ordibehesht 1367/May 1988, 12–18; Bast va qabz-e theoric-e shariat II, Keyhan-e Farhangi no. 52, Tir 1367/June 1988, 12–18; Qabz va bast-e theoric-e shariat III, Keyhan-e Farhangi, no. 60, Esfand 1367/March 1989, 11–15; Qabz va bast-e theoric-e shariat: the theory of evolution of religious knowledge IV, Keyhan-e Farhangi, no. 73, Farvardin 1369/April 1990, 12–19; later published with additional chapters as a book: Abdolkarim Soroush, Qabz va bast-e teorik-e shariat: nazariyye-ye takamol-e marefat-e dini (The contraction and expansion of religious knowledge), Tehran 1370/1991.

and led to the formation of a new intellectual movement in Iran, later called ›religious intellectuals‹ to distinguish itself from both conservatives and seculars.[29] Some researchers evaluated Soroush's ideas as being very effective in the election victory of reformist movements in Iran in 1997. He was described as being, although he himself rejects it, the godfather of this movement.[30]

This theory, Soroush suggests, aimed at answering the question of the compatibility of Islam with the requirements of modern times.[31] Soroush, perhaps on purpose and in order to avoid the reactions of conservative groups, insisted that it is our understanding of religion or religious knowledge that changes and not the religion itself. Nevertheless, these thoughts, especially their political implications, were too radical to be tolerated by conservatives. If religious knowledge changes according to social factors and time's knowledge, nobody can claim to have »the only true« or the »ultimate understanding of Islam«. If there are different forms of religiosity, we cannot claim »authority« and impose, with the aid of a religious government, one understanding of religion on another people. As Soroush reveals in his interview with Sadri, this theory was devised in contrast to Shariati and his project of the ideologization of Islam, which entails rejecting pluralism and insisting on the validity of one single and 'official' interpretation of Islam.[32] In this manner the contraction and expansion of religious knowledge questioned the legitimacy of the Islamic Republic of Iran, raising many tough criticisms from conservative groups in Iran.

4.2 The expansion of prophetic experience: inter-religious pluralism

This theory, as Soroush explicates in the introduction of the book *The Expansion of Prophetic Experience*, goes one step further and regards not just religious knowledge and our understanding of religion but also religion itself as being interpretative, contextual and, hence, plural: »The subject of *the contraction and expansion of religious knowledge* was about human, historical and earthly aspects of religious knowledge, and now in *expansion of prophetic experience* the

[29] Mohammad Hashemi, Dinandishan-e Motajadded: Roshanfekri-ye Dini az Shariati ta Malekiyan (Modernist religion-thinkers: religious intellectual movement from Shariati to Malekiyan), Tehran 1387/2008.

[30] Ghamari-Tabrizi, Islam and Dissent in Postrevolutionary Iran, 15.

[31] Soroush, Qabz va bast-e teorik-e shariat, 48.

[32] Soroush, Intellectual autobiography: an Interview, 17.

subject is the human and historicity of religion itself and religious experience.«[33] Soroush regards religious experience as the core of religion and considers the prophetic experience as one type, but an intensive and strong type, of religious experience. Religious experience is coming face to face with the absolute and transcendent.[34] Religious experience occurs, according to Soroush, in different forms, ranging from dreams to the feeling of the presence of a holy being. »Revelation and dreams are made of the same fabric. If you want to understand what revelation is, you should turn to its friend and companion, i. e. dreams, and cross-examine it.«[35]

Soroush holds that the interpretation of religious experience begins as the person intends to understand and comprehend the experienced voice and state. In this way expressing the experience in the form of words and concepts is the very definition of interpretation. Soroush holds that as there is no un-interpretive religion (text) there is neither is any un-interpretive religious experience. This is indeed the core of Soroush's second main theory, *The Expansion in Prophetic Experience*, which came about ten years later and also enjoyed a remarkable amount of attention from the Iranian and Islamic intellectual community.

Soroush suggests that it is because of the interpretive nature of religious experience that the spiritual healing phenomenon appears for a Muslim in the religious experience of Prophet Mohammad as it appears for a Christian in the figure of Jesus. Soroush maintains that this is also true for Prophet Mohammad's experience of the spiritual joy and the awards in the hereafter. These spiritual joys, Soroush holds, have appeared in the Koranic promise of believers receiving black-eyed women (*huri*) in paradise, whereas the Koran has never mentioned either blonde or blue-eyed women.[36]

By referring to the British philosopher and author of *Mysticism and Philosophy* Walter Stace, Soroush regards[37] even the personality and impersonality of God as a cultural element of religions that has imposed itself on the interpretations of the prophets: »although the Buddhists do not have appealingly a God but

[33] Soroush, Bast-e tajrobe-ye nabavi, 3.
[34] Soroush, Seratha-ye Mostaqim, 5.
[35] Abdulkarim Soroush, Revelation, Islam, and prophecy, (an interview) Aftab, Tehran, Ordibehesht 1381, April 2002, no. 15; republished in: Baztab-e Andishe, Khordad 1381, no. 27, 56–67, 59. English translation by Nilou Mobasser; http://www.drsoroush.com/English/Interviews/E-INT-Islam,%20Revelation%20and%20Prophethood.html.
[36] Soroush, Seratha-ye Mostaqim, 12–13.
[37] Walter Terence Stace, Mysticism and Philosophy, Los Angeles 1987.

the reality is that Buddhists do not have the theory of God but they have the experience of God.«[38]

From this perspective, different religions, such as Islam, Christianity, Judaism, and Buddhism, are just the interpretation of different prophets in different geographical and historical situations, resulting from their religious experiences or their encounter with the absolute. Soroush regards Buddha as a prophet who was not conscious of his prophethood: »There are prophets who know that there are prophets and those prophets that do not know that they are prophets. … I think Buddha belongs to those who do not know that they are prophet.«[39] The diversity of religions derives, according to Soroush, form the diverse cultures and societies that the prophets lived and preached in.

The main premise of this theory is that the narration of these experiences, including the experiences of prophets, are in fact the interpretations of these people and they, as human beings, interpret these experiences according to their own social, epistemological and psychological conditions. »The effort to understand that what, from whom I have heard this voice or received this state in my heart and also what does it mean and to express them in the form of words and concepts is entering in the field of interpretation. … And these interpretations are very different and various.«[40]

Accordingly, Soroush understands sacred texts as being the result of the understanding and interpretation of prophets from their own religious experiences. The Koran is then Mohammad's interpretation from his own individual experience. The differences among religious texts are due to the different interpreters and their historical and cultural condition. In addition, these experiences and interpretations are neither limited to these prophets nor to the past, but religious experiences and interpretations will continue throughout time: »Prophets were the peaks of experience and interpretation, [but] we have had and have also lower peaks.«[41] This theory of religion obviously provides a base for a comprehensive pluralism in religion.

This theory has been very controversial, especially when he suggested this interpretation explicitly about the Koran in an interview called *The Word of Mo-*

[38] Soroush, Seratha-ye Mostaqim, 11.

[39] Abdolkarim Soroush/John Hick, Surati bar bi Surati: a Dialogue between John Hick and Soroush, Madraseh Quarterly, vol. 1, no. 2, Tehran, 2005, 53; http://www.drsoroush.com/Persian/Interviews/P-INT-138409-John&Soroush.html (20 September 2012).

[40] Soroush, Seratha-ye Mostaqim, 9.

[41] Ibid. 18.

hammad.[42] This interview caused wide discussion and provided a possibility for Soroush to explain his theory on the Koran in more details. Soroush's correspondence with the Great Ayatollah, Jaafar Sobhani, which has been published as an appendix of *The expansion of religious experience* is considered an important part of contemporary Shia literature on revelation and prophethood. Soroush writes in his second letter to the Ayatollah Sobhani: »This matchless figure [Mohammad], with his wakeful heart, insightful eyes, perceptive mind and expressive tongue, was God's creation and everything else was his creation and followed from his discoveries and his artistry.«[43]

Three dimensions of the expansion of prophetic experience

The ›expansion‹ that is used in the title of Soroush's theory *The Expansion of Prophetic Experience* has different directions. In other words, Soroush's theory expands the prophetic experience in different directions. Three directions, at least, can be recognized: a. expansion of the prophetic experience in the course of the life of the Prophet, b. the expansion of ›a‹ prophetic experience, for example, the prophetic experience of Prophet Mohammad after his life through the interpretations of his followers, and c. the expansion of a general concept of ›prophetic experience‹ from prophets to non-prophets including mystics and even ordinary believers.

The expansion in the course of the life of the Prophet: The first direction of the expansion is in the life of Mohammad. It says that Prophet Mohammad was not simply a receiver and deliverer of revelation from God, a so-called »postman«, if there was any revelation at all, but he himself, his personality and his society affected this revelation. Mohammad's prophetic experience developed and improved during his life, developing like other human experiences and skills. For example, we see that the length of chapters (*sures*) in the Koran continuously increases in relation to Muhammad's migration from Mecca to Medina and the subsequent change in revelation.[44] In addition to the change of Mohammad's personal capacity for prophetic experience there are the external conditions of Mohammad's life: the events that happened in his life influenced the revelation.

42 Soroush, The word of Mohammad.

43 Abdulkarim Soroush, The parrot and the bee: Soroush's second response to Sobhani, in: The expansion of prophetic experience, 2009, 319–344, 329.

44 Soroush, Bast-e tajrobe-ye nabavi, 11.

Many verses of the Koran show the Prophet's reaction to circumstance, to spiritual or empirical events. In this interpretation the Koran and Sunnah are imbued with a deep human attribute, making it subject to change and relativity.

The expansion of the prophetic experience by the experience and interpretation of the followers: The second dimension of the expansion refers to the expansion after the death of the prophet. This theory sees revelation as an uncompleted process and maintains that prophetic experience expands even after the prophet's death due to religious experience by his followers. In addition, the interpretation of the prophet from his experience is expanded by the interpretation of scholars and believers. Accordingly, the religious experiences of mystics and believers in the Islamic tradition and the works of Muslim scholars on the Koran and Sunnah are complements to Prophet Mohammad's own experience.[45] Expressing this idea with a metaphor, one can say that every religion is like a galaxy and that the religious experience of a prophet is the core of this galaxy, while the experiences and interpretations of his believers are like stars and planets taking shape and circulating around the core. However, all galaxies in the spiritual realm are in relation and interaction with each other and their borders are not very sharp.

The expansion of the prophetic experience beyond the prophets and to the mystics and other believers: challenging the finality of prophethood: Another important aspect of the theory of the expansion of prophetic experience is how the concept of *prophetic experience* expands from the prophets to their fellow human beings. Soroush considers the prophetic experience as a religious experience that does not differ markedly from the religious experiences of mystics: »Prophets are the peaks of experience and interpretation, [but] we have had and also have lower peaks.«[46] Accordingly, Soroush expands the prophetic experience beyond prophets to mystics and even ordinary believers: »Yes, Sufis have called this experience [religious experience of believers], *the revelation of heart* just to hide it from ordinary people, otherwise true revelation would be no less than ›revelation‹. All is revelation, but, revelation has different levels.«[47] In another place Soroush interprets the »expansion of prophetic experience« as being the expansion of the prophet's experience to his believers: »Reliance and attention to the *velayat-e bateni* (internal/spiritual authority) of the Prophet, is necessary for the health and freshness of the religion. Prophets are, from this perspec-

[45] Ibid. 17.
[46] Soroush, Seratha-ye Mostaqim, 18.
[47] Ibid. 10.

tive, alive among their peoples. The meaning of internal authority is the presence of the personality of the prophet and the possibility of connecting with him. Above all and most familiar is the possibility of repeating the experiences that made the Prophet a prophet. This is the very meaning of *the expansion of prophetic experience.*«[48] In his lecture about religious pluralism Soroush implies that the prophetic experience is also true for ordinary people:

> Religion is not based only on text but also on religious experience. This is what since recently many philosophers of religion consider a base for religiosity. Before, religious experience was limited to the prophets but today there is a tendency to expand religious experience to ordinary believers. Of course it differs from prophetic experience. In Sufism, however, this idea was already important and Sufis understood religious experience as the best base for religiosity and even explicitly used the word ›revelation‹ or *vahy* in Arabic. The plurality of religious experiences is also a basis for religious pluralism. They cannot be reduced to one particular art of experience.[49]

In his article *din-e aqalli va din-e aksari* (minimal and maximal religion) Soroush writes more explicitly about this concept and suggests, referring to Shams, that some mystics, in their mystical experience, were not followers of Mohammad at all: »Shams-e Tabrizi made an interesting observation about a number of his contemporaries: He would say: this or that person *did not submit*, i. e. submission to the Prophet. [.][50] The phrase *did not submit* occurs a number of times in Shams's accounts. He used it, for example, in connection with Muhy al-Din Arabi and Bayazid Bastami.«[51]

This view on religion also contains more potential for the individualization and pluralization of religion. If the ordinary believer has religious experiences and if his religious experiences are in their nature similar to the prophets' experiences, it could potentially mean that every believer has to some extent a direct contact with the absolute. As each prophet has his own contextual interpretation of individual experience, every believer also has his own unique and individual interpretation of his »prophetic/religious experience« and, hence, a unique indi-

48 Abdolkarim Soroush, Peyambar dar sahneh, (The prophet in the scene), in: Bast-e tajrobe-ye nabavi, 94.

49 Abdolkarim Soroush, Islam and Pluralism, Lecture, University of London, 14 January 1999, minute: 14:20; http://drsoroush.com/Lectures-English.htm (20 November 2011).

50 See Maqalat-e Shams-e Tabrizi (Shams-e Tabrizi's Essays), ed. by Muhammad Ali Movahhed, Tehran 1356/1978; and M. A. Movahhed, Shams-e Tabrizi, Tehran1375/1997.

51 Abdolkarim Soroush, Din-e aqalli va din-e aksari, in: Bast-e tajrobe-ye nabavi (Expansion of prophetic experience), 58 (electronic edition, translation from English edition, 109).

vidual religiosity. This interpretation of prophethood challenges the belief in ›*khatamiyyat*‹, the finality of prophethood.[52] Soroush discussed this very topic in his article »*khatamiyyat*« (finality) where he holds that the intentioned finality is the finality of »*risalat*« (mission), not the finality of experience: »In prophethood, then, there is an element of mission, which distinguishes it from the experiences of mystics. This element eventually comes to an end with the Seal, but the principle of religious experience and illumination remains.«[53] However, Soroush holds an ontological and existential role for Mohammad in the occurrence of the mystical/religious experience happening after his death. It seems that Soroush holds that mystical experiences are possible through an ontological connection with Mohammad's own experience.

4.3 The diversity of religion as a fake dispute to hide the truth from shallow people

The third conceptual point presented by Soroush as »another mystical support for positive religious pluralism« is the claim that the diversity of religions is a fake dispute and is in fact just a red herring. This conflict exists just to make the seemingly kind or shallow people (*zaher-binan*) busy with the surface and to distract them from the real spiritual treasure. This causes perplexity among knowers of mystery and leaves the way open for them to search for the »real treasure«. These insightful people will know that the disputers are engaged with each other just for delusion and consider themselves powerful and their rivals poor. The conflict and diversity of religions teach us that wherever there is a conflict in this world, there is a secret and a treasure, and the purpose of every conflict is to hide that treasure. Real insightful people ignore the conflict and diversity, allowing the shallow people to get busy with each other while searching for the real spiritual treasure.

This point is not clear enough for me, perhaps it is for this reason that the translator of »Seratha-ye mostaqim« has given another title for this argument: »An Alternative Explanation: Formless within Forms«.[54] However, this title is

[52] Abdolkarim Soroush, Khatamiyyat I-II, (Finality I- II), in: Bast-e tajrobe-ye nabavi (Expansion of prophetic experience), 63–97 (electronic edition, translation from English edition, 25–62).
[53] Soroush, Bast-e tajrobe-ye nabavi, (Expansion of prophetic experience), in: Bast-e tajrobe-ye nabavi (Expansion of prophetic experience), 7.
[54] Soroush, The Expansion of Prophetic Experience, 134.

not an exact description of the third point which Soroush has tried to explain on pages 24 and 25 of his text, which is titled with number 3. »Formless within forms« is indeed an expression that Soroush uses to describe John Hick's argument for religious pluralism and explain what Soroush mentioned on the previous pages (19–24), namely that John Hick's argument is similar to his second argument »the diversity of interpretation of religious experiences«. At the beginning of his third point Soroush cites a poem by Rumi which supports John Hick's interpretation of religion as being »different manifestations of God in different contexts«. Soroush says that this poem indicates the manifestation of the absolute in limited forms, as being formless in forms and colourless in colours. Then Soroush adds that this poem also reveals another secret and argument for religious pluralism, after which Soroush starts his explanation of the point that every conflict is a fake dispute meant to hide real human treasure from shallow people:

> The said verses not only lend credence to the idea of the manifestation of the absolute within the limited, the indeterminate within the determinate, the formless within the forms and the colourless within colour, they also unravel a further secret which can itself serve as another pillar supplied by mysticism in support of authentic pluralism. This pillar, which represents a third approach to comprehending and digesting the plurality of religions (alongside plurality in the contexts of understanding texts and interpreting religious experiences), sees the battle between Moses and the Pharaoh as a real battle, in one way, but it suggests that, in another way, it is in fact much ado about nothing or a red herring.[55]

Accordingly, *formless in forms* is just another expression of Soroush for his second argument: the diversity of interpretations of religious experience or the different manifestations of God (formless) in different contexts (forms).

4.4 The richness of the truth/immersion of truth within truth

This argument for religious pluralism is based on a comprehensive and universal pluralism that might also be called ontological pluralism. Soroush cites a poem by Rumi (Masnavi, 6:1634–1637) and considers it the heart of Rumi's position on religious pluralism. Soroush presents these poems as the fourth argument for religious pluralism, considering the diversity of religions as a result of the diversity of truth itself: »Here he presents the heart of his stance on the plurality of

[55] Soroush, Seratha-ye Mostaqim, 24–25.

religions and speaks of the immersion of truth within truth.«[56] Soroush maintains that, according to Rumi, the diversity of religions exists not for the benefit of some devilish conspiracies but due to the richness of the labyrinthine nature of truth. Soroush uses a metaphor to explain this argument: »instead of seeing the world as having one straight line and hundreds of crooked and broken lines, we should see it as having a collection of straight lines which meet, overlap and run parallel: truths immersed within truths.«[57] Soroush suggests: for this reason the Koran has used »*serat-on mostaqim*« (›a‹ straight path) often in a general form (without article »*al*«) and not in a specific form »*al-serat al-mostaqim*« (›the‹ straight path).[58]

4.5 One destination, different paths

Soroush then starts a discussion about so-called ›negative pluralism‹. By that Soroush means arguments for pluralism which appeal to a lack of certainty, truth or coherency. The first argument refers to what in the English copy of *Seratha-ye Mostaqim* has been titled »one destination, different paths«. However, it is not very clear from Soroush's own text which argument is intended exactly with this particular part (29–33). Some different points and concepts can be drawn from his text. The first concept is that what matters in the process of searching, in this context searching for salvation, is the very search itself and the seeker's sincerity, not his/her intention or the »truthfulness« of the method or path chosen. Soroush refers to stories from Rumi's Masnavi that indicate that both the truth seeker and the imitator ultimately reach their goal. Rumi tells a story of a person who seeks for his lost camel and another person who just imitates the true seeker, but has not lost any camel himself. However, the imitator also sees his camel next to the lost camel and remembers that he has also lost a camel. Soroush suggests that this is similar to a person who plants a seed just for fun but surprisingly is rewarded with a garden. In this manner Soroush concludes that leaving aside the truth seekers, even the pseudo-seekers and imitators will receive fruit if they are serious and enthusiastic about their search: »It is thus that sincere seekers on the spiritual path are assisted and guided to the destination no matter what label, banner or

[56] Ibid. 26.
[57] Ibid. 27.
[58] Here are some cases where »Sirat-on Mostaqim« appears in general form in the Koran: 43:43, 36:4, 48:2 and 16:121.

affiliation they are travelling under and no matter what religion or sect they belong to.«[59] Soroush adds that what counts is coping with the problems and seeking the truth with enthusiasm. The importance of that search is the individual truth of the seeker and his ultimate salvation rather than the absolute truth of the theological propositions.

At the end of this argument Soroush interprets this view as being similar to Karl Rahner's inclusivist approach to the plurality of religions. The advantage of this approach, Soroush maintains, is that it makes plurality understandable and at the same time allows every faith and religion to keep its claim on the superior truth and salvation. Accordingly, every religion will suppose that it is the true path and others are unconsciously following that path and that the »salvation umbrella« of the supposed true religion also covers them. It seems that here Soroush mixes pluralism with inclusivism, and the ten points he has discussed in *Seratha-ye Mostaqim* should not be considered ten arguments for religious pluralism, but different points and concepts that support a non-exclusivist approach to religion.

4.6 The contradiction between exclusivism and God as the guide

Soroush's sixth argument for religious pluralism appeals to a theological concept of God's famous attribute as a merciful creator. In rationalist Islamic theology this concept has been used as an argument for the necessity of prophecy. God as a merciful creator has benignity towards his creatures and does not leave them without guidance. So God (should) send guides (prophets) to humankind. Based on this idea in traditional theology, Soroush asks: if we believe in just the truth of our own religion and say that people out of our religion are misguided and will therefore not receive salvation, how can we justify the compatibility of this belief with God's guidance and attribute of mercy? How can we accept that the people who do not follow our religion, people who number in the billions, (in the case of Judaism just 12 million out of seven billion will be saved) are on the wrong way and will not receive God's mercy? This seems to be in contradiction with God's wisdom and mercy.

[59] Soroush, Seratha-ye Mostaqim, 31.

> If it really is the case today that ... only the minority of Twelver Shi'is have benefited from rightful guidance and all the rest have gone astray or are infidels (according to [exclusivist] Shi'is) or if only the twelve million minority of Jews have been rightly guided and everyone else rejected and damned (according to [exclusivist] Jews) – then where has God's guidance been actualised and who has it benefited and in what way have people been subject to Gods' grace (which is used by theologians to explain prophethood)? And where has God's attribute of »the Guide« manifested itself?[60]

For these reasons Soroush believes that religious pluralism is indeed an admitting to God's wide mercy and the success of the prophets. In other words, if we choose to believe in exclusivism, this is equal to saying that Satan has defeated God! This is shown by the exclusivist idea that most people are far from the true path and have therefore been guided by Satan to Hell.

Soroush argues that these elaborations lead humans to rethink the real meaning of some key traditional concepts, such as guidance and salvation. Soroush then argues for a non-theological and non-juristic interpretation of guidance, an interpretation that does not interpret guidance and salvation as meaning that it is necessary to have some religious propositions in mind, but the necessity of taking into consideration human action and intention: »Guidance is the path and road not to some finished thoughts in the mind. ... Whoever does not follow his/her evil temptations in action and in theory, he/she is on the straight path; just that. And this is the road that sooner or later will take him/her to the destination in this or hereafter.«[61] With this interpretation of salvation Soroush extends his idea of pluralism even to non-religious groups. He argues that what is important is that the person does not follow the *hava* (self-will or animal desire). The prophets' main role was to make people familiar with the different types of *hava*. However, some people, according to Soroush, can realize and recognize these criteria and types independently from the admonitions of prophets: »Those who have found these cases (all or some of them) are surely guided. For the personality of a prophet does not play a role. What counts is the message and teaching. The importance is that people find these teachings but which kind of people do that and what kind of way leads them to these teachings is not important.«[62] In this argument Soroush tries to convince the believer that his/her own foundational reli-

[60] Ibid. 33.

[61] Soroush Dabbagh, A'in dar A'ine (Religion in Mirror), Tehran1384/2005, 478.

[62] Ibid.

gious beliefs, such as the belief in a guide and merciful God, are not compatible with religious exclusivism. Soroush argues that exclusivists who believe in these attributes of God should have difficulties in making them compatible with their exclusivism. Indeed, exclusivism seems quite simple and even funny when we contemplate these views. This means that it is interesting how throughout history many different communities, religious or non-religious, have thought mostly in an exclusivist way.

4.7 Inextricable mix of truth and falsehood

In the part »seventh base for pluralism« Soroush offers different concepts in support of religious pluralism. He calls this: »impurity of things of the world«. In the English translation this part has been titled as: »Inextricable Mix of Truth and Falsehood«.[63] Soroush suggests in this argument that everything in this world, both in the natural and human sphere, is impure and a mix of truth and falsehood. As there is no pure race and pure language there is also no pure religion. Every religion has both true and false elements. That is why, according to Soroush, different religions remain and believers rarely convert to other religions. This is because every believer is satisfied and happy with the true elements in his/her religion and ignores the false parts of his/her religion. Soroush adds that this characteristic of religions is not about the religion itself but the very human reception of religion. Soroush uses a metaphor that »when the rain of pure religion falls from the heavens of revelation unto the mud of human understandings, it becomes tainted by the human mental process«.[64] Soroush maintains that this is the eternal destiny of religion(s), and till the end of time religion will move just like the impure waters of a river among human beings.

Soroush then explains some reasons for this impurity and why there is no purely true or false religion. He refers to the many false sayings that have been attributed to the prophets and saints of every religion. What is known as a religion, Soroush argues, does not also contain what could have been. This includes not only false hadiths but also all those hadiths that have been lost and we have not received due to historical accidents or deliberate manipulations. According to Soroush, there could have been many other hadiths as responses to questions

[63] Soroush, Seratha-ye Mostaqim, 37–38.
[64] Ibid.

that were never proposed to the prophets; what Islam could have been if Mohammad had lived longer or what would have happened if some other important historical events had happened during his life or how history would have looked if the holy Imams of Shiism had not been imprisoned by the caliphs. Soroush maintains that Islam would have looked very different than it does now and that the Koran would very likely be thicker than the actual Koran we posses now: »Had the Prophet lived longer or had other important historical events occurred during his blessed lifetime would the Qur'an not have been a far lengthier tome? Would it not have clarified many more issues for the edification of Muslims? All this to highlight the extent to which religion becomes human and historical when it enters history.«[65]

This type of argument, which considers the historicity of religion, makes up a key part of Soroush's interpretation of religion and his general theory on religion and culture. Soroush has used this historical concept in his arguing for many of his other important theories and concepts, such as political secularism, minimalist religiosity and human rights.

4.8 Kinship and complementarity of all truths

The eighth argument that Soroush introduces as a ›negative‹ argument for pluralism is what he calls »kinship relationship« of truths and their compatibility. This »self-evident logical point«, Soroush argues, requires that firstly truth should be evaluated free from geographical and time-based criteria. Secondly, every person claiming to know truth uses other truths as a measure to evaluate their own claimed-upon truth. This is actually another explanation of Soroush's comprehensive pluralistic view covering almost every aspect of human life. The specific point of this argument is that it reveals the dialogical nature of truths and not only requires the acceptance and co-existence with other truths but also interaction and dialogue between them as mutual criterion.

4.9 The pluralism of values/ontological and existential pluralism

Here Soroush does not argue directly for religious pluralism but argues instead for the pluralism of values and uses this as evidence for religious pluralism. So-

[65] Ibid. 40.

roush maintains that plurality and diversity are too comprehensive as to be ignored in any field of human life, including religion. Soroush suggests that there are many values that are incompatible and there is no such a clear answer regarding the validity of these values. For example, freedom and justice, two main values of humanity, have always been a dilemma in human history.[66] In practice, individuals choose one value over another, for example, freedom over justice, for practical reasons. Soroush refers to Isaiah Berlin who holds that there are questions that have several incompatible answers.

It is also true, Soroush suggests, that virtues, for example, to be generous or patient, to be brave or satisfied etc., have never had a clear and single answer. He cites the mystic Aziz al-Din Nasafi (died 680 h. q.) who expresses his view on the incompatibility of virtues. Soroush concludes that we can never develop a universal and eternal value system. Different values are always chosen according to cause and not reasons. These values are practised due to practical conditions rather than cognitive realizations and arguments. Thus, Soroush argues, we should just admit to the plurality of values and cultures, including to the plurality of religion. Soroush argues that we cannot reduce this huge plurality to one metaphysical unit, to a single clear and determined truth.[67] We can see plurality on different levels, from individual human beings to value systems and cultures. Every human being is unique. Every human has his own unique features and his own unique emotions.[68]

Relying on this point Soroush argues for ontological and existential pluralism. He suggests that every human being is indeed unique and every individual has his own perfection and that there is no universal and absolute image of a perfect human. From this pluralistic perspective Soroush arrives at the interesting conclusion that there should logically be more than one »perfect human«:

> »It is fundamentally possible to have several different types of life based on several different models (after discarding the improper and objectionable ones), which are on a par and cannot be reduced to a single type; exactly like the pluralism that we find in the realm of interpretation of spiritual and natural experiences, where (after discarding the false theories) we always face a number of rival theories, which cannot be reduced to one. ... Hence, no individual can serve as the exhaustive model for any

[66] Ibid. 41.
[67] Ibid. 42.
[68] Ibid. 44.

other and there is more than one Perfect Man (contrary to the common understanding of the Sufi theory of ›the Perfect Man‹).«[69]

This is indeed the peak of Soroush's pluralistic view challenging the long tradition of exclusivist and monistic concepts of the ideal type in different fields, from ontology and epistemology to ethics. Usually the expectation regarding such ethical question is a clear-cut answer, but Soroush, based on his comprehensive pluralism, argues for not one but a plurality of ethical concepts for such fundamental human affairs as truth, happiness, virtue and religion. This position takes Soroush very close to a postmodernist view that rejects any secret essence or nature of any given subject and argues for ›in making‹ situation and constructivity of affairs.

This leads Soroush to a more fundamental and comprehensive pluralism, namely existential pluralism. He holds that every individual has his own existential characteristics and, hence, his own specific feelings, emotions and, finally, his own idea of happiness. According to Soroush, this individual uniqueness causes the existential loneliness of human beings. Soroush maintains, however, that understanding this uniqueness and loneliness is the beginning of a different freedom: »Discovering this loneliness and individuality is the beginning of a new freedom; freedom from being assimilated in ›the whole and generals‹ and refinding yourself and your own specific world, your specific religion, your specific ethics, your specific existential nodes, and your specific path to solving these nodes. Finding you as the centre and meeting place of infinite possibilities and choices.«[70]

4.10 Religion is caused, not reasoned/hereditariness of religious beliefs among the believers

It is not always the case that followers of a religion, be it Islam or Christianity or any other religion, choose this religion based on reason and research. It is rather the case that people become a follower of a specific religion; Muslim, Christian or Jew, as family and society demand. In other words, human beings' religion has a »cause« rather than a »reason« so that the religiosity of a believer is caused and not reasoned. In this way religiosity is hereditary and not the result of a research

[69] Ibid. 44.
[70] Ibid. 44–45.

process. A person in Iran who is a Muslim would have been Christian if he had been born in Brazil. Therefore, Soroush implies, is it logical or compatible with God's wisdom to say that human salvation or tribulation is a result of something hereditary and unintentional? Soroush's own suggestion for this problem is a faith-based interpretation of religion.

Thus nobody has the right to claim that his hereditary religion is true, but not the religion of other people. So mutual understanding, peaceful coexistence and cooperation are far more useful and productive than arrogance and competition.

5. Some points concerning Soroush's interpretation of religious pluralism

Ontological and epistemological pluralism: Soroush's opinion regarding the nature of religious pluralism and whether it is ontological or epistemological varies in different works and according to different positions. One might, from an ontological perspective, argue for religious pluralism, claiming that the absolute or being is in itself plural or contains plural dimensions. However, one might also argue for religious pluralism from an epistemological perspective and explain the diversity of religions as the result of different human perspectives.

Soroush refers to both ontological and epistemological arguments. He suggests in some places that reality itself is »multi-dimensional« and that this ultimately leads humanity to the plurality of its religions: »Yes, the diversity of interpretations [by prophets on their experiences] derives indeed from the multi-dimensionality of reality and in more familiar words; that God has one thousand and one names.«[71] Another argument of Soroush for religious pluralism, which also can be interpreted as an ontological one, is the idea that diversity of religions derives from diverse manifestations of God: »God has manifested to every one [prophet] in one manner and every one has interpreted the manifestation of God in a different way.«[72]

In his preface to *Seratha-ye Mostaqim* Soroush speaks about both ontological and epistemological foundations of religious pluralism. After introducing religious pluralism as an opinion in stark contrast to religious exclusivism, Soroush refers to both ontological and epistemological argumentations for religious plu-

[71] Ibid. 18.
[72] Ibid.

ralism: »Religious pluralism is a theory … that maintains that the diversity of religions is the result of human's cognitive system and multi-dimensional structure of the reality. The pluralists say that reality is perhaps multi dimensional and multi layered, so the truth is diverse. … Pluralists say that religious reality is perhaps so complicated that it lets mind and language contradict itself.«[73]

No exclusive true interpretation of religion, no official religious authority: de-politicization of Islam: The theory of contraction and expansion of religious knowledge can obviously be used to argue for intra-religious pluralism. However, Soroush's main intention and also the conclusion he draws from this theory is the delegitimization of religious authority. One main consequence of rejecting religious authority, beside individualization of religiosity, is de-politicization of religion and Islam. As Katajun Amirpur[74] has argued, Soroush's theory indeed led to the idea of the de-politicization of Islam, which had in previous decades been strongly politicized by some Muslim scholars, including Khomeini as a main Shia representative of political Islam. If Khomeini argued for the political agenda of Islam with the theory of *vilayat al-faqih* (authorship of the religious jurist) and theorizing the authority of *faqih* (religious jurist) as the person who knows ›pure Islam‹, Soroush argued that there is no such thing as ›pure Islam‹ and that what we call Islam is nothing but our fallible and contextual interpretations of a religious text:

> »It should be also said that the pluralism inherent in the understanding of a text has another clear implication [in addition to intra-religious pluralism]. It indicates that there also is no official and single interpretation of religion. Therefore, religion has no official authority and interpreter. In religious knowledge, alike any other humane knowledge, nobody's opinion has a natural authority which has to be imitated by somebody else. No understating is holy and beyond criticism. This is true in religious jurisprudence as much as it is true in chemistry. Everybody is responsible for him/herself and will be stand in front of God alone. There exists political authority but no intellectual and religious authority.«[75]

General pluralism and religious pluralism: Soroush's interpretation of religious pluralism should be understood as part of his general or comprehensive pluralism. As was discussed in some of Soroush's arguments for religious pluralism,

[73] Ibid. II.

[74] Katajun Amirpur, Die Entpolitisierung des Islam: Abdolkarim Soruschs Denken und Wirkung in der Islamischen Republik Iran, Würzburg 2003.

[75] Soroush, Seratha-ye Mostaqim, 6.

specifically in number 9, Soroush has a pluralistic view about almost all aspects of reality and human life, from being (ontological and existential pluralism) to episteme, ethics, religion and culture. As Soroush suggests that different religions are just different forms of dialogue between God and his creation in different geographies and different times, he also holds that there are different and equally valid types of morality, social order, psychological states and happiness.

6. Conclusion

It was discussed how Soroush, based on his historicist and hermeneutical approach, historicizes and then pluralizes the religion and Islam. Soroush's interpretation of religious pluralism should be understood as a part of his comprehensive and ontological pluralism that sees the world pluralistically and rejects any exclusive and absolute account of any given subject. Soroush's thought generally can be interpreted as an effort to make pluralism, including religious pluralism, understandable in contemporary Islam. In his articulation of this theory Soroush uses different sources and arguments, from Islamic mysticism to liberal Christian theology and from the Mu'tazila, the Islamic rationalist tradition, to contemporary epistemology.

His first main theory »the contraction and expansion of religious knowledge« supports intra-religious pluralism. His second main theory »The expansion of prophetic experience« supports interreligious pluralism.

Soroush's theory of religion and religious pluralism can be summarized into the following propositions: a. the core of religion and religiosity is religious experience; b. revelation/prophetic experience is a kind of religious experience; c. religious experience is a mutual interaction between human and the transcendent that has happened and happens in different times and societies; d. so religion is not an ahistorical and one-sided message of God to human but a continuing dialogue between earth and heaven; e. religious texts, including the Koran, are the word of a prophet/saint interpreting his/her religious experience; f. the interpretation of religious/prophetic experiences has been done naturally based on the respective culture and context of the interpreter; g. so different religious traditions are just different contextual interpretations of the holy.

(Heydar Shadi ist an der Universität Erfurt tätig)

ABSTRACT

This article introduces and analyses Abdolkarim Soroush's (1945-) interpretation of religious pluralism. After having a short intellectual biography of Soroush, his main work on religious pluralism, namely *Seratha-ye Mostaqim* (Straight Paths), is introduced. Then, based on this work, ten arguments for religious pluralism including Soroush's two main theories *the contraction and expansion of religious knowledge* and *the expansion of prophetic experience* are discussed. The first theory supports intra-religious pluralism and the second theory justifies inter-religious pluralisms.

Soroush's interpretation of religious pluralism is based on his general pluralism that argues for both epistemological and ontological pluralisms. Soroush is inspired in his theology of religions by different sources including both Islamic and Western traditions. In addition to Islamic mystics, such as Rumi and Ibn Arabi, Soroush also frequently cites Protestant theologians from Schleiermacher to John Hick.

The article concludes that the main feature of Soroush's theology of religions is that he does not justify religious pluralism through Islamic sources, namely the Koran and Sunnah, as done by some other pluralist Muslim theologians, but through an *historicist* approach to religion, in which he defines religion as an interaction or dialogue between God and human rather than a one-sided message from God to human. In this way, the diversity of religion is explained by the diversity of cultures and humans. So, according to Soroush, different religions, such as Judaism, Christianity, Islam and Buddhism, are just different but valid dialogues between human beings and God.

Die Theorie vom »Weltethos« in jüdischer Perspektive

Walter Homolka

Heute sind Juden wieder konfrontiert mit einem Absolutheitsanspruch des Christentums, wie er seit der Schoa so nicht mehr geäußert worden war. Karfreitagsfürbitte und Piusbruderschaft führten zu Spannungen und setzen das Verhältnis mit der katholischen Kirche unter einen enormen Druck. Das Judentum hat diese Ansprüche des Christentums auf Absolutheit stets energisch zurückgewiesen. Dabei sollte man glauben, Juden wären Spezialisten in Abgrenzung. Das Konzept des »auserwählten Volks« legt das nahe. Doch weit gefehlt. Rabbiner Kaufmann Kohler hat es 1910 schön auf den Punkt gebracht:

> »Das Judentum, das weder ein bloßes Religionssystem noch ein bloßes Volkssystem ist, sondern ein Völker vereinender Gottesbund sein will, hat keine abgeschlossene Wahrheit und wendet sich an keinen abgeschlossenen Teil der Menschheit. ... Das Christentum und der Islam ... bilden einen Teil der Geschichte des Judentums. Zwischen diesen Weltreligionen nun mit ihren großen Kulturgebieten steht das kleine Judentum als kosmopolitischer Faktor und weist auf jene ideale Zukunft einer in Gott wahrhaft vereinten Menschheit hin, die nur in unausgesetztem Vorwärtsstreben und nach immer vollkommener sich gestaltenden Vorbildern den verheißenen Triumph des Guten, Wahren und Göttlichen auf Erden erlangt, die Verwirklichung des Reiches Gottes.«[1]

Das Judentum verfolgt also ein Konzept, das allen geistigen Richtungen Wert beimisst. Um das zu untermauern, schauen wir uns erst einmal das jüdische Konzept von Offenbarung an:

[1] Kaufmann Kohler, Grundriss einer systematischen Theologie des Judentums auf geschichtlicher Grundlage, Leipzig 1910, 242–243.

In seinem Talmudkommentar schreibt der im 14. Jahrhundert wirkende Rabbi Jom Tow ben Avraham Ischbilly aus Sevilla, »Ritba« genannt, zu Eruwin 13b: »Als Mose auf die Höhe stieg, um die Tora in Empfang zu nehmen, wurden ihm im Zusammenhang mit einer jeden Sache 49 Gründe gezeigt, warum es erlaubt sein sollte und 49 Gründe, warum es verboten sein sollte. Als Mose den Heiligen – Gepriesen sei er! – um endgültige Entscheidungen bat, wurde ihm gesagt, dass derartige Entscheidungen den Weisen Israels in jeder einzelnen Generation vorbehalten seien und dass die Entscheidungen, die sie dann jeweils träfen, die gültigen Entscheidungen seien.«[2]

Dem Menschen wird also bei der Offenbarung des Willens Gottes offensichtlich ein hohes Maß an Mitwirkung gegeben. Der andauernde Prozess menschlicher Interpretation wird so zum stetigen Offenbarungsprozess, der weit über das einmalige Sinaigeschehen hinausgeht. Wir können verborgene Wahrheiten und Ansichten entdecken, es entstehen Neuerungen, durch die ich als menschlicher Interpret zum Mitschöpfer werde. »Glaube« erhält so für mich einen ganz hohen Plausibilitätsgrad. Er wird zu einer spannenden Entdeckungsreise aller religiösen Glaubenstraditionen auf dem Weg, den Willen Gottes zu erfassen.

Denn im Midrasch Schemot Rabba V.9 wird von Rabbi Jochanan berichtet: Ihm zufolge habe Gottes Stimme sich am Sinai erst in sieben Stimmen und dann in 70 Sprachen geteilt – damit alle Völker außerhalb des Bundes Anteil bekommen an dem, was zu Israel und in Israel gesagt wurde. Das wiederum impliziert, dass das Offenbarungserlebnis als Schritt zur geistigen Befreiung allen Menschen gleichermaßen zuteilwerden soll.

Damit ist es auch mit der »einen Wahrheit« so eine Sache. Das zeigt die folgende Geschichte:

> »R. Abba sagte im Namen Šemuéls: Drei Jahre stritten die Schule Šammajs und die Schule Hillels: eine sagte, die Halakha sei nach ihr zu entscheiden. Da ertönte eine Hallstimme und sprach: [Die Worte] der einen und der anderen sind Worte des lebendigen Gottes; jedoch ist die Halakha nach der Schule Hillels zu entscheiden. – Wenn aber [die Worte] der einen und der anderen Worte des lebendigen Gottes sind, weshalb war es der Schule Hillels beschieden, dass die Halakha nach ihr entschieden wurde? – Weil sie verträglich und bescheiden war und sowohl ihre eigene Ansicht als auch die der Schule Šammajs studierte; noch mehr sie setzte sogar die Worte der Schule Šammajs vor ihre eigenen.«[3]

[2] Jonathan A. Romain/Walter Homolka, Progressives Judentum – Leben und Lehre, München 1999, 23.
[3] bT, Eruwin 13b.

Den anderen mit bedenken in seiner eigenen Ansicht und die eigene Meinung nicht absolut setzen: Das sind die Schlüssel zur Wahrheit in einem pluralen Sinn.

Wenn es die eine Wahrheit nicht ist, was ist dann das Ziel des Menschen im jüdischen Verständnis? Ein programmatischer Denker des Judentums, Rabbiner Leo Baeck (1873–1956) hat für mich sehr gut formuliert, was das Ziel unseres Lebens vor Gott sein sollte: Gerechtigkeit. Diese aber wird durch Werke und Leistungen, durch Pflichterfüllung und das Ringen um das Gebot erlangt. Denn Religion soll nicht ein gutes Gewissen schenken, sondern das Gewissen in einen ständigen Zustand der Unruhe und Herausforderung versetzen. Nur dann ist sie wahrhaft Religion. Sie muss fähig sein und entschlossen, jeder geschöpflichen Macht Widerstand anzusagen und zu leisten, wenn es gilt, das Ewige zu verteidigen. Mit der Orientierung auf die sittliche Tat tritt die Frage nach der geglaubten »Wahrheit« im Judentum in den Hintergrund. »Der Jude ist aufgefordert, den Sprung der Tat zu wagen, nicht so sehr den Sprung des Denkens.«[4]

Der freie Wille

Was aber ist mit der moralischen Zweideutigkeit des menschlichen Wesens, dem Ringen zwischen Gut und Böse? Wollen wir mit unserem freien Willen immer das wählen, was gut ist? Darüber wenigstens war das Judentum durch alle Jahrhunderte hindurch klar und konsistent: Das Gute in uns ist die Folge davon, dass wir im Bilde Gottes geschaffen wurden. Gott, so sagt das erste Kapitel der Genesis, habe Adam geschaffen, im Bilde Gottes (1,27, vgl. 5,1). Und einer der größten Rabbinen, Rabbi Akiwa, merkt an: »Geliebt ist der Mensch, denn er wurde nach Gottes Bild erschaffen. Größere Liebe war es, dass ihm mitgeteilt wurde, dass er nach Gottes Bild erschaffen wurde.«[5]

Diese Lehre ist für das jüdische Verständnis des menschlichen Wesens zentral. Sie wurde nie aufgegeben und galt als notwendige und ausreichende Erklärung des guten Triebes, der die Stimme in uns ist, die uns veranlasst, das zu wählen und zu tun, was richtig ist.

Die jüdische Interpretation der Geschichte von Adam und Eva im Garten Eden unterscheidet sich deshalb auch von der christlichen: Vor dem Sündenfall besaßen Adam und Eva die absolute Fähigkeit, Wahrheit von Lüge zu unterschei-

[4] Abraham J. Heschel, Gott sucht den Menschen – Eine Philosophie des Judentums, Neukirchen-Vluyn 1980, 218.

[5] Pirke Awot 3, 14.

den. Nachdem sie vom Baum der Erkenntnis gegessen hatten, sahen sie aber, dass sie nackt waren. Moses Maimonides, der große mittelalterliche Religionsphilosoph, meint dazu: Schon vorher hatten sie gesehen, dass sie nackt waren, aber sie hatten keine Ahnung von der Bedeutung dessen. Das Naschen vom Baum der Erkenntnis führte dazu, dass von da an der Mensch in einem ständigen Widerstreit von Wahrheit und Lüge dem Guten immer wieder erneut zum Sieg verhelfen muss.

Dabei ist die Möglichkeit zum Guten und Wahlfreiheit eine notwendige Folge der Gottesebenbildlichkeit des Menschen.

Der böse Trieb ist nicht böse

Wenn dem aber so ist, dann verlangt sein Gegenstück um so mehr nach einer Erklärung. In einfachsten Begriffen gesagt ist die Antwort des rabbinischen Judentums folgende: So wie Gott den guten Trieb schuf, so schuf er ebenso auch den bösen Trieb, damit die Menschen die Möglichkeit und die Verantwortung haben, zwischen beiden zu wählen. Natürlich wirft dies die Frage auf, wie ein guter Gott einen bösen Trieb schaffen kann, und die Antwort ist, dass zumindest zum großen Teil der böse Trieb trotz seines Namens nicht von Grund auf böse ist.

Das Substantiv *jetzer* leitet sich von dem Verb *jatzar*, »bilden«, her und bedeutet daher etwas wie »einen fundamentalen Aspekt der menschlichen Beschaffenheit« oder »eine grundlegende menschliche Disposition«.

Ein oder zwei Belege für die Vorstellung finden sich auch in der jüdischen Literatur der römisch-hellenistischen Zeit, zum Beispiel wenn Sirach sagt: »Er hat am Anfang den Menschen erschaffen und ihn der Macht der eigenen Entscheidung überlassen.«[6] Im hebräischen Text des Sirach-Buches steht für »Entscheidung«: *jetzer*, im Griechischen: *diabole* »Verleumdung« – von demselben Wort stammt *diabolos* »der Verleumder«, der im Christentum die Bedeutung »Teufel« erhält.

Es war das rabbinische Judentum, das diese Vorstellung vollständig entwickelt hat, vor allem in Hinblick auf den bösen Trieb, *jetzer ha-ra*. In der Tat, wenn das Wort *jetzer* alleine benutzt wird, bezieht es sich in der Regel auf den bösen Trieb. Doch der *jetzer ha-ra* ist nicht an sich böse. Das ist eine klare Folge aus den wichtigsten rabbinischen Lehren über dieses Thema. Zum Beispiel erreicht

[6] Sirach 15,14, zitiert nach Einheitsübersetzung der Heiligen Schrift.

die Schöpfungsgeschichte ihren Höhepunkt in der Erschaffung der Menschen. An dieser Stelle sagt der Text: »und siehe, es war sehr gut.«[7] Hier wird das pleonastische (d. h. logisch überflüssige) Wort »und« als Hinweis darauf verstanden, dass die Menschen mit zwei Trieben geschaffen wurden, einem guten und einem bösen, die Aussage »sehr gut« beziehe sich auf beides. »Aber«, fährt der Midrasch fort, »kann der böse Trieb ›sehr gut‹ genannt werden? Das wäre erstaunlich!« Und dann erklärt er: »Gäbe es diesen Trieb nicht, würde niemand ein Haus bauen, heiraten, Kinder zeugen oder geschäftliche Interessen verfolgen.«[8]

Durch diesen erhellenden Text wird deutlich, dass der *jetzer ha-ra* ein Oberbegriff ist für Selbsterhaltung, Gefallen, Macht, Besitz, Ansehen, Beliebtheit usw. Diese Triebe sind nicht an sich böse. Im Gegenteil, sie sind gut in dem Sinne, dass sie biologisch nützlich sind. Aber sie sind extrem mächtig, und wenn sie nicht durch ein waches Gewissen kontrolliert werden, können sie uns schnell dahin bringen, das Recht und die Bedürfnisse anderer außer Acht zu lassen und ihnen Schaden zuzufügen. In diesem Sinne – weil er uns so oft dazu treibt, das Falsche zu tun – ist der *jetzer ha-ra* böse. Aber er braucht es nicht zu sein; die psychische Energie, für die er steht, kann auch zu guten Zielen gelenkt werden.

Es ist den Menschen möglich, den *jetzer ha-ra* in sich zu kontrollieren. Aber es wird nicht davon ausgegangen, dass dies einfach sei. Im Gegenteil. »Wer ist ein Held«, fragt Ben Soma im Traktat Awot und antwortet: »derjenige, der seinen (bösen) Trieb bezwingen kann.«[9] Das Problem ist, einfach gesagt, wie man den guten Trieb pflegt und aktiviert, sodass er die notwendige Kontrolle ausüben kann.

Und die rabbinische Antwort ist: durch Studium, Gebet und Beachtung der Gebote. Sich mit der Tora zu beschäftigen hat im rabbinischen Judentum eine doppelte Bedeutung. Es bedeutet, ihre Lehren zu studieren, denn dies zu tun bedeutet, im Kontakt zu sein mit dem Denken Gottes, und ist deshalb sowohl eine spirituelle als auch eine intellektuelle Beschäftigung. Aber sich mit der Tora beschäftigen bedeutet ebenso, jenen Weg des Lebens zu praktizieren, den die Tora vorschreibt: einen Weg, der sowohl einen ethischen Kodex beinhaltet als auch religiöse Disziplin erfordert.

[7] Genesis 1,31.
[8] Midrasch Genesis Rabba 9,7.
[9] Pirke Awot 4,1.

Die noachidischen Gebote als Ethos für alle Menschen

Was aber tun die, die nicht als Juden geboren sind oder zum Judentum gefunden haben? Die der jüdischen Religion wesentliche Vorstellung der Gottesebenbildlichkeit aller Menschen bedeutet für Juden als auch Nichtjuden, dass beiden ein Erkenntnisweg zu Gott offensteht und beide die Möglichkeit besitzen, die Vernunft als Mittel zur ethischen Vollendung anzuwenden: zur Erreichung der Freiheit. Philo von Alexandrien gibt uns hier eine Antwort aus frühjüdischer Sicht:

> »... nichts [ist] miteinander so sehr verwandt wie selbständiges Handeln und Freiheit. Dem schlechten Menschen nämlich steht vieles im Weg, Gier nach Geld, nach Ruhm, nach Vergnügen; den Tüchtigen dagegen hindert gar nichts, weil er sich gegen Liebe, Furcht, Feigheit, Trauer und ähnliches erhebt und über sie triumphiert wie der Sieger im Ringkampf über die Besiegten. Er nämlich lernte, die Befehle zu missachten, welche die ungesetzlichsten Herrscher über die Seele erteilen, weil er inbrünstig nach Freiheit verlangt, deren besonderes Erbteil darin besteht, sich selbst zu befehlen.«[10]

Diese Möglichkeit zu haben, beinhaltet auch die Verantwortung, das Gute zu erstreben. Nach biblischer Auffassung kann nämlich jeder Mensch, unabhängig von einem spezifischen Offenbarungsverständnis, auf diskursivem Weg zu philosophisch-theologischen Erkenntnissen gelangen. Denn der Mensch ist im Bilde Gottes geschaffen worden und hat daher Anteil an der göttlichen Vernunft. Und wer immer sich ethisch verhält, hat Anteil an der kommenden Welt.[11] Hier wird deutlich, dass Juden keineswegs glauben, die allein seligmachende Offenbarung zu besitzen.[12]

[10] Quod omnis probus liber sit [Inwiefern jeder Rechtschaffene frei ist] 3,21; Philo von Alexandria: Philonis Alexandrini opera quae supersunt, Editio maior, hg. v. Leopoldus Cohn/Sigofredus Reiter, Vol VI, Berlin/New York 1962 (unveränd. Nachdr. der Ausg. 1915).

[11] Zur Frage nach der Beurteilung des Naturrechts bei den Rabbinen siehe: David S. Shapiro, The Doctrine of the Image of God and Imitatio Dei; also Martin Bucher, Imitatio Dei; Chaim W. Reines, The Self and the Other in Rabbinic Ethics; dagegen: Aharon Lichtenstein, Does Jewish Tradition Recognize An Ethic Independent of Halakha? Alle Essays in: Menachem Marc Kellner, Contemporary Jewish Ethics, New York 1978.

[12] Schon bei Ben Sirach (1,1–10) findet sich die Unterscheidung zwischen einer generell allen Menschen und einer speziell nur Israel verliehenen Erkenntnis. Die allen Menschen zugängliche Weisheit besteht darin, dass Gott ihnen allen Anteil an seiner Weisheit gibt, mit der er Himmel und Erde geschaffen hat. Vgl. Otto Kaiser, Des Menschen Glück und Gottes Gerechtigkeit – Studien zur biblischen Überlieferung im Kontext hellenistischer Philosophie, Tübingen 2007.

Dabei verweisen Juden auf Noah und seine sieben Gebote an die Menschheit. Der Fremdling, der im Judentum als »Sohn Noahs« betrachtet wird, ist dabei ganz genauso Geschöpf Gottes wie der Jude selbst.[13] Durch die sieben noachidischen Gebote als allgemeine Möglichkeit, vor Gott Gerechtigkeit zu erlangen, wird aus dem theologischen Begriff des Menschen als Geschöpf Gottes der politische Begriff des Mitmenschen, des Mitbürgers.[14] Damit tritt die Idee der »Frommen der Völker der Welt« in eine interessante Spannung zum jüdischen Erwählungsbegriff. Die Erwählung Israels kann so erkannt werden als das, was es ist: Die Auswahl für eine bestimmte Aufgabe und Funktion im Verhältnis mit Gott führt keineswegs dazu, dass andere Menschen nicht ebenso fromm gegenüber Gott leben und ihm gegenüber Gerechtigkeit erlangen könnten. Deutlich wird dies in einer Kontroverse zwischen Rabbi Elieser ben Hyrkanus und Rabbi Josua ben Chananja, ob die Gerechten der Völker Anteil an der kommenden Welt haben würden.

Für Rabbi Elieser haben nur geborene Juden oder vollständig zum Judentum übergetretene Menschen Anteil an der kommenden Welt, weil sie dem jüdischen Gesetz in seiner Gänze unterlägen.[15] Dagegen vertritt Rabbi Josua die Ansicht, alle Gerechten, ob jüdisch oder nichtjüdisch, hätten Anteil an der kommenden Welt.[16] Dieser Ansicht Rabbi Josuas pflichtet um 1180 Moses Maimonides in der »Mischne Tora« bei, der wichtigsten mittelalterlichen Kodifizierung der jüdischen Religionsgesetze. Damit stützt er diese Rechtsauffassung.[17]

Die Deutung der noachidischen Gebote als rein naturrechtliche Bestimmungen und Vernunftgebote ist in der rabbinischen Tradition nicht unumstritten. Nach Maimonides[18] soll die Beobachtung der noachidischen Gebote nicht bloß natürlicher Motivation unterliegen, sondern auch Ausdruck des Gehorsams der nichtjüdischen Menschheit gegenüber dem Gott Israels sein. Eine radikale Meinung geht davon aus, dass mit den noachidischen Geboten nur ein Minimum

[13] Hermann Cohen, Religion der Vernunft aus den Quellen des Judentum, Frankfurt am Main 1929, 139. Vgl. Christoph Schulte, Noachidische Gebote und Naturrecht, in: Helmut Holzhey/Gabriel Matzkin u. a., Religion der Vernunft aus den Quellen des Judentums – Tradition und Ursprungsdenken in Hermann Cohens Spätwerk, Hildesheim/Zürich u. a. 2000, 248.

[14] David Novak, Das noachidische Naturrecht bei Hermann Cohen, in: Holzhey/Matzkin u. a., Religion der Vernunft aus den Quellen des Judentums, 233.

[15] Vgl. bT Hulin 13a zur Frage, ob das Opfer von Nichtjuden angenommen würde.

[16] »Also nur Bileam ist nicht der zukünftigen Welt teilhaftig, wohl aber andere Nichtjuden, somit vertritt unsere Mischna die Ansicht Rabbi Jehoschuas ...« bT Sanhedrin 105a.

[17] Mischne Tora, Melachim 8,11. Vgl. Hermann Cohen, Die Nächstenliebe im Talmud (1888), in: Bruno Strauß (Hg.), Jüdische Schriften Bd. 1, Berlin 1924, 145–174.

[18] Mischne Tora, Melachim 10,7.

definiert sei, zum Heil schließlich auch der Übertritt erforderlich sei. So wird Izates, dem König von Adiabene Mitte des 1. Jahrhunderts n. d. Z., von einem Juden geraten, es genüge, wenn er »Gottesfürchtiger« (*ger toschav*) bleibe, während ihm ein anderer zur Konversion riet.[19] Andere Meinungen wiederum waren den Noachiden gegenüber pessimistisch eingestellt. Solche Schwankungen in der Beurteilung sollen aber nicht darüber hinwegtäuschen, dass der Übertritt zum Judentum auf weiten Strecken der Geschichte eine illusorische Alternative gewesen ist.[20] In der Situation einer nichtjüdischen Mehrheitsgesellschaft kam der naturrechtlichen Begründung der noachidischen Gebote verstärkte Bedeutung zu, wie wir gleich sehen werden.

Doch um welche Normen handelt es sich überhaupt? In der rabbinischen Tradition schwankt die Frage nach der Anzahl der Bestandteile einer solchen universalen Fundamentalmoral zwischen eins und dreißig.[21] Doch schon bald entwickelte sich die übereinstimmende Vorstellung, dass die Zahl dieser Gebote sieben sei.[22] Sechs der sieben Gebote seien schon Adam gegeben worden,[23] das siebte Noah (Genesis 9,1–6), was ihren universellen Charakter eher noch unterstreicht.

Maimonides lehrt: »Sechs Gebote wurden Adam mitgeteilt: a) das Verbot des Götzendienstes, b) das Verbot Gott zu lästern, c) das Verbot Blut zu vergießen, d) das Verbot der Blutschande, e) das Verbot des Raubes, f) das Gebot der Gerichtsbarkeit. … dem Noah wurde noch das Verbot, Glieder von lebendigen Thieren zum Essen wegzuschneiden, hinzugesetzt, denn es heißt: ›Aber Fleisch, in dessen Blute noch Leben ist, sollt ihr nicht essen‹, folglich sind es zusammen sieben Gebote.«[24]

Hermann Cohen erläutert dazu: »… als Noachide wird er nicht an das Gesetz Moses gebunden, sondern nur an sieben Vorschriften, die ›sieben Gebote der

[19] Flavius Josephus, Jüdische Altertümer 1. Band, XX. Buch 20, 2. Kap., 4. Abschnitt, 17–40, bes. 41–45. Band, 20. Buch, 2. Kap., 4. Abschnitt, übersetzt und mit Einleitung und Anmerkungen versehen von Dr. Heinrich Clementz, 7. Aufl., Wiesbaden 1987, 641ff.

[20] Vgl. Walter Homolka/Esther Seidel (Hg.), Nicht durch Geburt allein – Übertritt zum Judentum, Berlin 2006.

[21] Vgl. bT Awoda Sara 64b; bT Hulin 92a–b.

[22] bT Sanhedrin 74b. Götzendienst, Unzucht und Blutvergießen bilden die ältesten Grundbestandteile. In der 1. Hälfte des 1. Jahrhunderts kommen noch Raub und Gotteslästerung dazu. Die Liste von sieben Ge- und Verboten ist spätestens ab der 2. Hälfte des 2. Jahrhunderts d. Z. belegt. Vgl. David Flusser, Noachitische Gebote, TRE XXIV, 582.

[23] Midrasch Rabba Devarim 2,25 zu Deuteronomium 4,41.

[24] Mischne Tora, Melachim 9,1 nach der Übersetzung von Chajim Sack, St. Petersburg 1850–52, Bd. 5, 501f.

Söhne Noahs‹ ... Und diese sieben Vorschriften sind lediglich sittlichen Charakters. ... Der Glaube an den jüdischen Gott wird nicht gefordert.«[25]

Das rabbinische Judentum fordert vom Nichtjuden, der mit Juden in einem Gemeinwesen und im gleichen Territorium zusammenleben möchte, nicht den Übertritt zur herrschenden Religion, nicht den Glauben an den Gott Israels, nicht die Unterwerfung an die 613 Ver- und Gebote der Tora. Es fordert lediglich die Einhaltung der sieben Gebote, die traditionell verbunden werden mit dem Bund Gottes und Noah in der Sintfluterzählung.[26] Der Andere (*acher*) wird zum Bruder (*ach*) durch die Verantwortung (*achrajut*), mit er im Gemeinwesen handelt. Und für Maimonides ist es sogar möglich, das noachidische Recht mit Hilfe vernünftiger Betrachtung zu erkennen (*hechre-ha-da'at – inclinatio rationalis*).

Auch Moses Mendelssohn (1729–1786) beruft sich auf die noachidischen Gebote, als er 1769 von dem Zürcher Prediger Johann Caspar Lavater zu einem Religionsdisput aufgefordert wird, der das Ziel hat, Mendelssohn zum Christentum Calvins zu bekehren. Im Dezember 1769 entgegnet Moses Mendelssohn mit dem Verweis auf die tolerante Haltung des Judentums, die jegliche Missionierung ablehnt:

> »Nach den Grundsätzen meiner Religion soll ich niemand, der nicht nach unserm Gesetz geboren ist, zu bekehren suchen. Dieser Geist der Bekehrung, dessen Ursprung einiger so gern der jüdischen Religion aufbürden möchten, ist derselben gleichwohl schnurstracks zuwider. Alle unsere Rabbinen lehren einmüthig, dass die schriftlichen und mündlichen Gesetze, in welchen unsere geoffenbarte Religion bestehet, nur für unsere Nation verbindlich seyen. Mose hat uns das Gesetz geboten, es ist ein Erbtheil der Gemeinde Jacob. Alle übrigen Völker der Erde, glauben wir, seyen von Gott angewiesen worden, sich an das Gesetz der Natur und an die Religion der Patriarchen zu halten [Anm. Mendelssohns: ›Die sieben Hauptgebote der Noachiden‹]. Die ihren Lebenswandel nach den Gesetzen dieser Religion der Natur und der Vernunft einrichten, werden tugendhafte Männer von anderen Nationen genennet, und diese sind Kinder der ewigen Seligkeit.«[27]

[25] Hermann Cohen, Religion der Vernunft aus den Quellen des Judentum, Frankfurt am Main 1929, 142.

[26] David Flusser, Noachitische Gebote I, in: Theologische Realenzyklopädie Bd. XXIV, Berlin/New York 1994, 582–585. Klaus Müller, Tora für die Völker – Dia noachidischen Gebote und Ansätze zu ihrer Rezeption im Christentum, Berlin 1994. Aaron Lichtenstein, The Seven Laws of Noah, New York 1981. Chaim Clorfene/Yakov Rogalsky, The Path of the Righteous Gentile – An Introduction to the Seven Laws of the Children of Noah, New York 1987.

[27] Moses Mendelssohn, Gesammelte Schriften, Jubiläumsausgabe, Bd. 7, hg. v. Simon Rawidowicz, Berlin 1930, 14 und 10. Zur Geschichte der Rezeption der noachidischen Gebote im Judentum siehe Christoph

Mit dieser Aussage über die Anerkennung des Judentums für andere Überzeugungen weist Mendelssohn die Konversionsforderung Lavaters zurück. Dabei setzt er die noachidischen Gebote mit dem Naturrecht gleich. Und als Naturrecht stehen sie der vernunftmäßigen Einsicht Lavaters offen.

Nach jüdischer Tradition wurden mit den noachidischen Regeln also in Bezug auf Gott (Verbot des Götzendienstes und der Gotteslästerung), den Mitmenschen (Verbot des Mordes, des Diebstahls und der sexuellen Promiskuität) und der Natur (Verbot der Tierquälerei) sowie der Gesellschaft (Gebot einer gerechten Gesellschaft mit gerechten Gesetzen) grundlegende Handlungsanweisungen für alle Menschen gesetzt. Jeder Nichtjude, der diese Ge- und Verbote einhält, so beschreiben es jüdische Quellen vom Talmud über Maimonides bis hin zu Moses Mendelssohn und Hermann Cohen, sei als ein Gerechter unter den Völkern anzusehen. Damit werde von Nichtjuden die gleiche geistige und moralische Stufe erreicht wie der Hohepriester im Tempel.[28]

Wir haben gesehen, dass die jüdische Tradition einen solchen Menschen als *Ger Toshav*, als rechtschaffenen Nichtjuden und als »Gerechten unter den Völkern« bezeichnet und als solchen respektiert. Der Mendelssohn-Lavater-Disput hat aufgezeigt, dass die noachidischen Gebote auch die Ausgangsbasis bilden, von der aus das Judentum in den Dialog mit allen Menschen eintritt.

In den letzten Jahrzehnten haben sich gute Beziehungen zu den christlichen Kirchen entwickelt. Judentum und Islam sind ebenfalls auf vielfältige Weise verbunden und stehen in einem brüderlichen Verhältnis. Der offene Dialog zwischen Juden- und Christentum, wie er heute gepflegt wird, ist allerdings das Ergebnis eines langen und schmerzhaften Prozesses. Erst musste die Verbindung von »Thron und Altar« gelöst und eine Gleichstellung der Religionen in der Weimarer Reichsverfassung erreicht werden, um sich hier auf gleicher Augenhöhe zu treffen. Letztlich hat erst das Trauma des Holocaust den nötigen Bruch innerhalb der Kirchen herbeigeführt. Aus der Bankrotterklärung christlicher Ethik im Dritten Reich und aus dem Versagen der Kirchen vor der Aufgabe, die jüdischen Brüder und Schwestern wirksam vor der Ermordung zu schützen, ergab sich nach dem Zweiten Weltkrieg schrittweise ein Ansatz für ein neues Miteinander von Christen und Juden.

Schulte, Noachidische Gebote und Naturrecht, in: Holzhey/Matzkin u. a., Religion der Vernunft aus den Quellen des Judentums, 245–274.

[28] bT Bawa Kamma 38a.

Ich bin der festen Überzeugung: Dieses Miteinander müssen wir mit allen pflegen. Die Vision einer universalen Verbundenheit wurde von den Rabbinen im Midrasch Tanhuma bekräftigt: »Zu Sukkot opferten die Israeliten siebzig Ochsen für die siebzig Nationen der Erde.« Im Opferkult Israels waren also alle mitgedacht und mitbedacht.

Die reiche schriftliche und mündliche Tradition des Judentums verfügt mit Noah und den ihm zugeschriebenen sieben Geboten über Verhaltensregeln, die es in eine Diskussion über die Grundlagen einer gemeinsamen menschlichen Ethik einbringen kann. Das Judentum hat über die Jahrhunderte seiner Entwicklung zu einer Zwei-Wege-Lehre gefunden, die der Erwählung Israels und seiner Entscheidung für die Tora Gottes eine legitime Alternative an die Seite stellt: den Gerechten der Völker. Dem Anderen wird seine Identität nicht genommen, er wird gerecht durch die vernunftmäßige Erkenntnis einer universalen Fundamentalmoral, die alle Menschen verbindet und aus dem Fremdling den Nächsten macht.

In den noachidischen Geboten liegt nach jüdischer Auffassung das Heil aller Völker begründet. Damit besitzt die jüdische Tradition also ein Fundament für die Offenheit gegenüber pluralistischer Existenz und Anerkennung des Anderen als eines Anderen.Wenn wir also den Anderen mitbedenken und die eigene Meinung nicht absolut setzen, dann wird es etwas werden mit dem künftigen Miteinander, das die ganze Menschheit umfasst, in religiöser Bildsprache gesprochen: bei der Wallfahrt aller Völker nach dem Zion. Der Prophet Sacharia wird dann Recht bekommen, und wir feiern alle gemeinsam in den Laubhütten unserer Wanderschaft auf Gottes Ziel hin – in Ehrfurcht vor dem Leben, mit einem gerechten Wirtschaften, tolerant in der Wahrhaftigkeit und partnerschaftlich im Umgang.

(Prof. Dr. Walter Homolka ist Rabbiner und Rektor des Abraham Geiger Kollegs)

ABSTRACT

The paper starts from a view to the truth claim of Judaism facing the same of Christianity which still leaves an absolutistic impression. Judaism and its foundation in the Hebrew Bible and the Rabbinic literature has a rather open and tolerant truth claim which is able to respect other claims. As to ethical aspects the paper explores the two ways of being a Jew standing in the Jewish tradition and of adhering to the ethical standards as shown in the Noahide laws, thus being a Righteous among the nations. The Noahide laws render the foundation for the Good of all peoples and for respect towards plurality of claims and identities.

»Pluralistischer Inklusivismus«?

Die pluralistische Religionstheologie von Jacques Dupuis

Madeleine Wieger

Im Jahre 1997 wurde das Hauptwerk des Religionstheologen Jacques Dupuis veröffentlicht, dessen Titel lautet: »Unterwegs zu einer christlichen Theologie des religiösen Pluralismus«[1]. Der belgische Jesuit hatte über dreißig Jahre lang in Indien gelebt und gelehrt, bevor er nach Rom gerufen wurde, um an der Gregoriana zu unterrichten. Er ist 2004 gestorben. Sein Buch entfaltet die theologische Reflexion, zu der ihn die jahrzehntelange Begegnung mit Mitgliedern anderer Religionen in Indien, besonders des Hinduismus, inspiriert hat. Eine genauere Untersuchung seiner Religionstheologie empfiehlt sich aus zwei Gründen.

Der erste Grund ist politischer Natur. Sein Werk ist international berühmt, weil die römisch-katholische Glaubenskongregation sich mit seinem Hauptwerk beschäftigt hat. Nach drei Jahren Überprüfung des Buches hat die Kongregation für die Glaubenslehre sich dazu entschieden, ihre Bedenken offiziell auszudrücken: Sie veröffentlichte im Januar 2001 eine »Notifikation«, die seitdem jeder neuen Ausgabe des Buches als Anhang beigefügt werden muss.[2] In demselben Jahr 2001 veröffentlichte Dupuis eine kürzere Version seines Buches. Diese ist für ein breiteres Publikum vorgesehen, geht aber auch auf den Prozess der Überprüfung durch die Glaubenskongregation ein: Das neue Buch stellt so eine völlig

[1] Das Buch wurde in Englisch geschrieben. Während der Vorbereitung der englischen Auflage wurde es bereits ins Italienische und Französische übersetzt und schließlich fast gleichzeitig in den drei Sprachen veröffentlicht. Die deutsche Übersetzung erschien 2010 (Jacques Dupuis, Unterwegs zu einer christlichen Theologie des religiösen Pluralismus, hg. v. Ulrich Winkler, übers. v. Sigrid Rettenbacher unter Mitarbeit v. Christian Hackbarth-Johnson/Wilhelm Schöggl, Insbruck/Wien 2010).

[2] Kongregation für die Glaubenslehre, Notifikation bezüglich des Buches von Jacques Dupuis: Verso una teologia cristiana del pluralismo religioso (24.1.2001) (http://www.vatican.va/roman_curia/congregations/cfaith/documents/rc_con_cfaith_doc_20010124_dupuis_ge.html) (16.1.2013).

revidierte und überarbeitete Auflage seines Hauptwerkes dar, in der er auf einige der Einwände, die ihm entgegengebracht wurden, antwortet, die Grundlage seiner Argumente sichert, vieles umformuliert und manches auch noch deutlicher hervorhebt.[3] Die unerwartete Publizität, die sein Werk durch das Verfahren der Glaubenskongregation erhielt, hat eine internationale Debatte ausgelöst und viele Theologen angeregt, Stellung zu nehmen.

Die Diskussion um sein Werk hat aber auch etwas mit dem Modell der Religionstheologie zu tun, das er hier vorschlägt – und das ist der zweite, nun rein theologische Grund, sich mit seinem Buch näher zu beschäftigen. Seine Theologie nennt Dupuis selbst eine »christliche Theologie des religiösen Pluralismus«. Dieser Ausdruck als solcher ist bedeutungsvoll.[4]

Eine »christliche Theologie des religiösen Pluralismus« ist erstens eine »Theologie«: Sie greift die empirischen Fakten, die ihr die Religionswissenschaft darlegt oder die der interreligiöse Dialog zutage bringt, auf, versucht aber, dieses Material vom Glauben her zu verstehen und zu deuten.

Zweitens ist sie eine »christliche Theologie«. Dupuis geht nicht von einem philosophischen Ansatz aus, wie etwa ein John Hick.[5] Es geht ihm auch nicht um eine »komparative Theologie«, die sich allmählich durch die Interaktion zwischen den Weltreligionen bilden würde und eigentlich direkt vom interreligiösen Dialog abgeleitet wäre.[6] Auf eine mehr »klassische« Weise will Dupuis ein Modell vorschlagen, das mit der traditionellen christlichen bzw. katholischen Theologie zu vereinbaren ist.[7] Dies bedeutet, dass für ihn der hermeneutische Schlüssel, der es erlaubt, die Daten der Religionsgeschichte zu deuten, nicht im Dialog gemeinsam herausgearbeitet wird, sondern zuerst und vornehmlich in der Lehre jeder einzelnen Religion gesucht werden muss, und zwar hier in der christlichen

3 Diese Version wurde in Italienisch geschrieben und dann ins Französische und Englische übersetzt. Die französische Übersetzung wurde von Jacques Dupuis selbst revidiert (Jacques Dupuis, La rencontre du christianisme et des religions. De l'affrontement au dialogue, traduit de l'italien par Olindo Parachini, Paris 2002). Auf diese Übersetzung wird im Folgenden Bezug genommen, sobald die zweite Version von der ersten abweicht.

4 In der Einleitung seines Hauptwerkes unternimmt Jacques Dupuis es selbst, diesen von ihm gewählten Ausdruck zu erklären (Dupuis, Unterwegs, 30–43).

5 Siehe z. B. John Hick, An Interpretation of Religion. Human Responses to the Transcendent, London 1989.

6 Siehe z. B. Francis X. Clooney, Comparative Theology: Deep Learning Across Religious Borders, Malden (MA)/Oxford 2010.

7 Der Ausdruck »mit der christlichen Tradition vereinbar« (oder so ähnlich) kommt in Dupuis' Werk mehrmals vor (Dupuis, La rencontre, 281; siehe auch Dupuis, Unterwegs, 229, 309).

Lehre.[8] Die Theologie von Dupuis ist also eigentlich *ad intra* für die Christen formuliert.

Seine christliche Theologie ist schließlich eine »Theologie des religiösen Pluralismus«: Es geht Dupuis nicht um diese oder jene Religion, um diese oder jene Gemeinsamkeit zwischen zwei oder drei Religionen, sondern um einen prinzipiellen, umfassenden Akt der theologischen Anerkennung der religiösen Pluralität an sich, und zwar als einer von Gott gewollten Pluralität.[9] In dem Sinne sind die Weltreligionen nicht mehr ein bloßes Faktum, über das die Theologie von außen eine Diagnose zu erstellen hat, wie sie es mit anderen historischen Phänomenen auch tut, sondern ein *locus theologicus*, ein Bestandteil der theologischen und bei Dupuis der christlichen Lehre.

Sowohl »christliche Theologie« als auch »Theologie des religiösen Pluralismus«: Die Theologie, die Dupuis darlegt, weckt deshalb die Aufmerksamkeit, weil sie sich als eine katholische Theologie gibt, die mit dem offiziellen Dogma vereinbar ist und sich der traditionellen Terminologie der christlichen Lehre bedient[10], zugleich aber, ähnlich wie die pluralistische Religionstheologie, die Vielfalt der Religionen nicht nur als *de facto*, sondern auch als *de jure* existierend ansieht. Dupuis selbst gibt dieser Position einen Namen: Er nennt sie »inklusiven Pluralismus« oder »pluralistischen Inklusivismus«.[11]

Die drei Paradigmen

Der Ausdruck »pluralistischer Inklusivismus« selbst bezieht sich auf zwei der Positionen, die man gewöhnlich unterscheidet, um die verschiedenen Modelle zu kennzeichnen, mit Hilfe derer das Verhältnis zwischen dem Christentum und den Weltreligionen beschrieben werden kann. Bezüglich der unterschiedlichen Haltungen gegenüber den Weltreligionen, die zahlreiche christliche Theologen ab der ersten Hälfte des zwanzigsten Jahrhunderts in ihren Büchern vertraten, wurde schon in den siebziger und achtziger Jahren eine Typologie vorgeschlagen. Die Typologie, die sich durchgesetzt hat, ist die Triade »Exklusivismus-Inklusivismus-Pluralismus« oder auch »Ekklesiozentrismus-Christozentrismus-Theo-

[8] Dupuis, Unterwegs, 32–35.
[9] Dupuis, Unterwegs, 38–40.
[10] Siehe z. B. Dupuis, Unterwegs, 333–334.
[11] Dupuis, La rencontre, 141, 146, 389.

zentrismus«.[12] Diese Positionen sollen hier durch wenige Stichworte nochmals kurz skizziert werden.

Im Exklusivismus wird die Eigenart des Glaubens, der zum Heil führt, hervorgehoben. Jesus Christus ist die Ursache allen Heils; damit aber der Mensch sich dieses Heil aneignen kann, muss er darum wissen. Ohne den Glauben auf einen kognitiven Vorgang zu reduzieren, sieht der Exklusivismus dennoch in dem intellektuellen Wissen um die Botschaft des Evangeliums eine Bedingung, um zum Heil zu gelangen. Weil es die Kirche ist, die diese Botschaft verkündigt, gibt es den heilbringenden Glauben auch nur in der Kirche: Der Glaube drückt sich notwendig »ekklesial« aus, und die Kirche ist mit der erlösten Menschheit identisch.[13]

Dem Inklusivismus geht es um das Wirken Gottes in der ganzen Geschichte. Dieses Wirken ist klar auf das Christusgeschehen hin orientiert; dieses Geschehen aber wird in der Weltgeschichte, und besonders in der Religionsgeschichte, vorbereitet bzw. antizipiert. Die Weltreligionen kann man als Gemeinschaften ansehen, in denen man die Spuren dieses Wirkens Gottes auffinden kann – ob sie nun als Abglanz der Offenbarung des Schöpfergottes gesehen werden oder als Zeichen der Gegenwart Christi.[14]

Der Pluralismus ist durch einen epistemologischen Sprung gekennzeichnet[15]: Er sieht zwischen der menschlichen Geschichte und dem Absoluten einen radikalen Bruch. Nicht nur lässt sich das Absolute an sich nicht in die Geschichte der Menschheit einbetten, sondern man muss ebenso behaupten, dass kein historisches Geschehen eine absolute und universale Heilsbedeutung haben kann. Jesus Christus gehört zur Geschichte und ist also durch seine Historizität endgültig begrenzt; er ist ein Erlöser unter anderen, die die Religionsgeschichte der

12 Siehe Alan Race, Christians and Religious Pluralism. Patterns in the Christian Theology of Religions, London 1983; John Hick, A Philosophy of Religious Pluralism, in: Frank Whaling (Hg.), The World's Religious Traditions, Edinburgh 1984, 145–164; Gavin D'Costa, Theology and Religious Pluralism. The Challenge of Other Religions, Oxford, 1986; Perry Schmidt-Leukel, Die religionstheologischen Grundmodelle, in: Anton Peter (Hg.), Christlicher Glaube in multireligiöser Gesellschaft. Erfahrungen, Theologische Reflexionen, Missionarische Perspektiven = Neue Zeitschrift für Missionswissenschaft, Supplementa 44 (1996), 227–248.

13 Dupuis nennt hier K. Barth, H. Kraemer, H. A. Netland, A. D. Clarke und B. W. Winter (Dupuis, Unterwegs, 265–266).

14 Dupuis unterscheidet zwischen der »Erfüllungstheorie« eines Jean Daniélou und der Theorie vom »Christusmysterium in den religiösen Traditionen«, deren Hauptvertreter Karl Rahner sei (Dupuis, Unterwegs, 190–228).

15 Die pluralistische Position, wie sie hier dargestellt wird, ist diejenige von John Hick, anhand derer auch Dupuis seine eigene Haltung definiert.

Menschheit hervorbringt, je nach den verschiedenen Arten, das Absolute zu erfahren. Der heilbringende Glaube wird hier mit der religiösen Erfahrung der Menschen identifiziert, die von vornherein plural ist, eben weil sie menschliche und historische Gestalt hat. Der klassische Pluralismus besteht aber darauf, dass es ein Zentrum gibt, um das sich diese Vielfalt dreht und mit Hilfe dessen sie sich strukturieren lässt.

Die Typologien der siebziger und achtziger Jahre des 20. Jahrhunderts beschreiben diese drei Haltungen als Paradigmen, die unvereinbar sind.[16] Sie unterscheiden sich voneinander nicht nur durch wenige Nuancen, sondern auch durch grundsätzliche Optionen, die den Kern des christlichen Glaubens betreffen. Die Unvereinbarkeit dieser verschiedenen Paradigmen zeigt sich dadurch, dass sich in dem Übergang von dem einen zum anderen das Zentrum ändert und somit auch die innere Struktur der christlichen Theologie als Ganzer. Ekklesiozentrismus, Christozentrismus und Pluralismus bzw. Theozentrismus schließen sich gegenseitig aus.

Diese traditionelle Typologie wurde in den letzten zwei Jahrzehnten mehrmals in Frage gestellt. Einerseits wurde sie als zu schematisch empfunden, und viele Autoren haben neue Kategorien hinzugefügt.[17] Andererseits gibt es seit wenigen Jahren auch Theologen, die zu zeigen versuchen, dass die Verfestigung der verschiedenen Positionen in entgegengesetzten Paradigmen überwunden werden kann.

Insbesondere haben mehrere Theologen gegen die Pluralisten behauptet, dass keine theologische Notwendigkeit bestehe, vom inklusivistischen zum pluralistischen Paradigma überzugehen, um die Weltreligionen in ihrer Andersartigkeit anerkennen zu können, einschließlich ihrer nicht überbrückbaren Unterschiede zum Christentum. Für sie ist der Inklusivismus genauso fähig, den Weltreligionen einen Platz einzuräumen, wenn er angemessen formuliert wird.[18]

[16] Siehe J. Peter Schineller, Christ and Church: A Spectrum of Views, in: Theological Studies 37 (1976), 545–566, hier: 547–548; Schmidt-Leukel, Die religionstheologischen Grundmodelle, 229–230.

[17] Nach Dupuis gehören zu diesen Kategorien der »Regnozentrismus« und der »Soteriozentrismus«, dazu noch der »Logozentrismus« und der »Pneumatozentrismus« (Dupuis, Unterwegs, 276–283).

[18] Dupuis, Unterwegs, 275–276; siehe auch Claude Geffré, Théologie chrétienne et dialogue interreligieux, in: Revue de l'Institut Catholique de Paris 38/1 (1992), 63–82 (zitiert bei Dupuis, Unterwegs, 518–519); Ders., La singularité du christianisme à l'âge du pluralisme religieux, in: Joseph Doré/Christoph Theobald (Hg.), Penser la foi. Mélanges offerts à Joseph Moingt, Paris 1993, 351–369; Ders., La responsabilité de la théologie chrétienne à l'âge du pluralisme religieux, in: Michel Demaison (Hg.), La liberté du théologien. Mélanges offerts à Christian Duquoc par la Faculté de Théologie de Lyon, Paris 1995, 123–135.

Zu diesen Theologen gehört Jacques Dupuis mit seinem »pluralistischen Inklusivismus«. Sein Ziel ist es, eine Theologie anzubieten, die so großzügig ist wie die der Pluralisten, aber bei einer »hohen Christologie« bleibt, die in Jesus Gottes Sohn erkennt. Auf der theologischen Ebene bedeutet das für ihn, zwei tiefe Überzeugungen zu vereinen: Jesus Christus ist als Sohn Gottes der Erlöser aller Menschen; die Religionen der Welt sind je eigenartige Heilswege.

Ob und wie sich diese beiden Behauptungen bei Dupuis vereinbaren lassen, wurde in unterschiedlicher Weise beurteilt. Manche[19] sprechen von einer inklusivistischen Struktur oder einem inklusivistischen Hintergrund seiner Theologie, durchzogen von Sätzen, Formulierungen und Bemerkungen, die man eher als pluralistisch bezeichnen würde: Die Theologie Dupuis sei also inklusivistisch, nur seine Sprache sei manchmal pluralistisch. Andere[20] machen Dupuis den umgekehrten Vorwurf: Dupuis habe eine Tendenz, die ihn in die Richtung des Pluralismus führen würde, nur wage er es noch nicht, die alte Sprache der Gottessohnschaft Jesu zu verabschieden. Die Position des Dupuis wäre eine Art Schwanengesang des Inklusivismus. Seine Offenheit den anderen Religionen gegenüber schlage sich noch nicht konsequent genug in seiner Theologie nieder; seine Theologie und seine ethische Haltung den Religionen gegenüber würden noch nicht dieselbe Sprache sprechen.

Hier soll versucht werden, die Frage nicht auf die Spannung zwischen Theologie und Sprache zu reduzieren, sondern auf der theologischen Ebene zu bleiben und zu fragen, wie Dupuis selbst seinen Beweis führt und versucht, Inklusivismus und Pluralismus in aller theologischer Tiefe zu verknüpfen. Zu diesem Zweck wird seine Position hier mit der eines »klassischen« Inklusivisten verglichen: mit der Karl Rahners. Karl Rahner wird allgemein als der Inklusivist schlechthin gesehen; er ist aber auch der Theologe, auf den sich Dupuis selbst am meisten beruft: Die rahnersche Theorie des »anonymen Christentums« betrachtet er offenbar als den Ausgangspunkt seiner eigenen Theologie. Dupuis aber betont, dass die Weltreligionen der Menschheit von Gott selbst als spezifische Heilswege gegeben wurden, nicht als »provisorische Christentümer« wie noch bei Rahner, sondern in ihrer bleibenden Verschiedenheit[21]; sein Ziel scheint es

[19] Siehe Terrence Merrigan, Exploring the frontiers: Jacques Dupuis and the movement »Toward a Christian theology of religious pluralism«, in: Louvain studies 23 (1998/4), 338–359.

[20] Siehe Monique Aebischer-Crettol, Vers un oecuménisme interreligieux. Jalons pour une théologie chrétienne du pluralisme religieux, Paris 2001, 332–346.

[21] Dupuis, Unterwegs, 433–436.

also zu sein, die Anonymität des »anonymen Christentums« aufzuheben. Wenn man Dupuis auf dem Weg zu diesem Ziel hin folgt, kann der Vergleich zwischen Rahner und Dupuis helfen zu beurteilen, inwiefern Dupuis noch ein Inklusivist ist oder schon zu den Pluralisten gehört.

Indem man mit dieser präzisen Frage an sein Werk herantritt, sind wohl manche Zuspitzungen unvermeidbar. Jacques Dupuis beschäftigt sich mit einer Vielfalt von Themen und Fragen, und man könnte durchaus von anderen Fragestellungen ausgehen, um sich mit seinem Werk auseinanderzusetzen. Seine Sprache ist auch voller Nuancen, die hier wohl nicht genug berücksichtigt werden können. Ein Standardwerk wie das seinige unterliegt aber auch einem Prozess der Rezeption, und in diesen Prozess reiht sich auch die folgende Darstellung ein.

Karl Rahner und das »anonyme Christentum«

Die Theorie Rahners sei hier nochmals in groben Zügen dargestellt, bevor sie mit der Position von Dupuis verglichen werden soll.

Rahners Theorie des »anonymen Christentums«[22] beruht auf seiner theologischen Anthropologie, das heißt, auf einer Beschreibung des Menschen in seiner wirklichen Gestalt, in der er mit Gott in Beziehung kommen kann und dazu bestimmt ist, mit ihm eins zu werden. Diesen anthropologischen Ansatz wählt Rahner, weil er sich auf folgende Prämisse stützt: Wenn es richtig ist, dass Gott das Heil aller Menschen will und dieser Wille nicht nur eine Absicht Gottes ist, sondern sich tatsächlich wirksam durchsetzt und sich jedem Menschen als Angebot mitteilt, dann muss man erklären, wie jeder Mensch auch tatsächlich mit diesem Heilsangebot konfrontiert ist, und zwar nicht durch einen äußerlichen, historischen Zufall, sondern vielmehr bis in seine Verfasstheit als Mensch hinein.

Deswegen behauptet Rahner, dass jeder Mensch eben als Mensch schon eine Gottesbeziehung haben muss, die nicht ein bloß natürliches und abstraktes Sehnen nach Gott ist, sondern eine übernatürliche »Gnadenbetroffenheit«[23], die ihn

[22] Siehe Karl Rahner, Das Christentum und die nichtchristlichen Religionen, in: Ders., Schriften zur Theologie V, Einsiedeln 1962, 136–158; Die anonymen Christen, in: Ders., Schriften zur Theologie VI, Einsiedeln 1965, 545–554; Bemerkungen zum Problem des »anonymen Christen«, in: Ders., Schriften zur Theologie X, Einsiedeln 1972, 531–546; Jesus Christus in den nichtchristlichen Religionen, in: Ders., Schriften zur Theologie XII, Einsiedeln 1975, 370–383; Über die Heilsbedeutung der nichtchristlichen Religionen, in: Ders., Schriften zur Theologie XIII, Einsiedeln 1978, 341–350; Über den Absolutheitsanspruch des Christentums, in: Ders., Schriften zur Theologie XV, Einsiedeln 1983, 171–184.

[23] Rahner, Das Christentum und die nichtchristlichen Religionen, 153.

von vornherein in die Dynamik des Heils versetzt. Diese innerste Dynamik im Menschen, die die eingestiftete Selbstmitteilung Gottes ist, nennt Rahner ein »übernatürliches Existential«. Den natürlichen Menschen, den Menschen ohne Gott gibt es eigentlich nur theoretisch: Durch den Heilswillen Gottes ist der Mensch schon immer mit Gott, von der Selbstmitteilung Gottes erreicht und aufs Tiefste bestimmt. Gott ist eine wirkliche Möglichkeit des konkreten Menschen. Weniger dürfe man nicht sagen, wenn man den universalen Heilswillen Gottes ernst nehmen wolle.

Das Heil gibt es aber nur als gelebtes und erlebtes Heil. Die Selbstmitteilung Gottes an den Menschen kann nicht bei einer abstrakten Innerlichkeit bleiben, unreflektiert und unthematisch. Sie verlangt, thematisiert und vermittelt zu werden, und sie erreicht dies durch das geschichtliche Tun und Leben des Menschen. Der Mensch nimmt seine Hinordnung auf Gott hin an, indem sie sich in den Wirklichkeiten seines menschlichen Lebens vollzieht und durch die Art und Weise, wie er seine Welt gestaltet, objektiviert. Wo diese übernatürliche Dynamik dann ausdrücklich reflektiert wird, kann von Glauben gesprochen werden.

Eine der wichtigsten Formen aber, durch die der Mensch konkret seine Gottesbeziehung erlebt und annimmt, ist sein religiöses Leben. Sein religiöses Leben ist nicht eine rein individuelle, private Wirklichkeit: Es nimmt nicht nur geschichtliche, sondern auch soziale und gesellschaftliche Gestalt an, und zwar vor allem in den nichtchristlichen Religionen. Weil es kein religiöses Leben ohne institutionelle Religion gibt und weil auch dieses religiöse Leben die Begnadigung des Menschen thematisiert, muss man folgern, dass auch in den Religionen selbst Spuren der Selbstmitteilung Gottes zu finden sein sollten. Insofern können die Weltreligionen als Orte der Vermittlung des Heils gesehen werden.

Das Heil aber, das durch die menschliche Geschichte und besonders durch die Religionsgeschichte thematisiert wird, ist das christliche Heil. Die Objektivierung der Selbstmitteilung Gottes geschieht nicht durch eine Vielfalt von beliebigen Formen ohne jegliche Struktur, sondern ist auf ein Ziel ausgerichtet, und zwar auf Christus. Diese Behauptung wird nochmals von der Anthropologie her begründet: Jesus Christus ist derjenige Mensch, in dem die Ausdrücklichkeit der Selbstmitteilung Gottes an den Menschen ihren Höhepunkt erreicht, weil er sowohl Mensch als Gott ist. Christi Leben ist die vollständige Objektivierung des übernatürlichen Existentials, das sich in die Geschichte hinein projiziert. Bei ihm fallen Selbstmitteilung Gottes und Annahme des Menschen endgültig zusammen, auf eine unwiderrufliche Weise, sodass die Inkarnation auch als Garant des

Bestrebens eines jeden Menschen gelten kann. Jedes menschliche Leben hat das christologische »Zusammenfallen« von Menschlichem und Göttlichem zum Ziel; jedes menschliche Leben ist auf Jesus Christus bezogen, und der Glaubensvollzug eines jeden Menschen ist eigentlich ein Akt des Glaubens an Jesus Christus.

In einem gewissen Sinne ist also jeder Mensch ein Christ. Rahner geht noch einen Schritt weiter, indem er sogar von »Christentum« redet, weil das Leben des begnadeten Menschen immer auf sozialer und gesellschaftlicher Ebene sich entfaltet. Von einem Christentum muss man also sprechen, wenn Anhänger anderer religiösen Traditionen ihr christliches Heil durch die Praxis ihrer Tradition für sich selbst vermitteln. Dieses christliche Heil aber erleben sie nicht als solches, sondern »anonym« und unreflektiert. Der Ausdruck »anonymes Christentum« wurde geprägt, um zwei Dinge zugleich auszusagen: einerseits, dass die Religionen tatsächlich Vermittlungen des Heils in Jesus Christus sein können, andererseits, dass sie eine unvollständige, inchoative Vermittlung dieses Heils darstellen. Die Religionen sind insofern Heilsvermittlungen, als sie von der Anthropologie her als Orte der Thematisierung der Selbstmitteilung Gottes verstanden werden. Diese Vermittlungen sind provisorisch, weil das in ihnen gelebte Heil sich noch nicht ganz und völlig als christliches Heil versteht. Ziel der Weltreligionen ist das explizite Christentum. Ihre heilsvermittelnde Funktion dauert nur so lange, wie die Pflicht, Christus als den Erlöser anzuerkennen, dem Bewusstsein des Menschen noch nicht klar geworden ist.

Jacques Dupuis und die »trinitarische Christologie«

Dupuis geht von der inklusivistischen Position Rahners aus. Der Ekklesiozentrismus ist völlig beiseitegelassen: Nach Dupuis gilt er endgültig als überholt.[24] Die Theologie Karl Rahners und anderer bezeichnet den Übergang von einer ekklesiozentrischen zu einer christozentrischen Vorstellung der religiösen Welt. Das Heil ist nicht primär mit der Kirche in Verbindung zu setzen, sondern mit Christus; der erlöste Mensch steht in einem direkten Verhältnis zu Christus, auch ohne Kirche. Es gibt sehr wohl ein »Heil ohne das Evangelium«[25]. Das gehört für Dupuis zu den Prolegomena. In seiner eigenen Argumentation aber wählt er ei-

[24] Dupuis, Unterwegs, 265–266.
[25] Dupuis, Unterwegs, 192, 203, 208, im Kapitel 5: Theologische Perspektiven im Umfeld des Zweiten Vatikanums.

nen anderen Ausgangspunkt als Rahner, was damit in Zusammenhang zu bringen ist, dass er auch mit einer anderen Fragestellung an die Sache herangeht.

Grundsätzlich gilt sowohl bei Rahner als auch bei Dupuis der Lehrsatz: Gott will, dass alle Menschen gerettet werden[26] – und zwar in Christus. Rahner erläutert diesen Satz, indem er Anthropologie und Christologie in Zusammenhang bringt. Was Jesus Christus ist und was der Mensch wird durch den Heilswillen Gottes, entspricht sich derart, dass Jesus Christus sowohl ein »inneres Moment« als auch das Ziel und Ende jedes erlösten Menschenlebens darstellt.[27] Indem Rahner den Menschen als in seinem Wesen auf Christus hin finalisiert beschreibt, kann er daraus folgern, dass das gelebte Heil jedes Menschen notwendig ein Leben in Christus ist. Dies gilt auch für das religiöse Leben des Menschen.

Das Heilbringende am Christusgeschehen beschreibt also Rahner mit Hilfe der Anthropologie. Anders bei Dupuis. Wie Christus zum Heil eines jeden Menschen gehört, erklärt Dupuis nicht, indem er die Beziehung zwischen dem Menschen und Christus unterstreicht: Sein Ausgangspunkt ist vielmehr das Verhältnis zwischen *Gott* und Christus sowie die genaue Bestimmung ihrer jeweiligen Rollen auf soteriologischer Ebene. Dupuis betont mit Nachdruck, dass nicht Christus, sondern der absolute Gott allein der eigentliche Retter ist[28], sodass die Frage hier nicht ist, wie der Mensch in Christus gerettet ist, sondern wie dem historischen Menschen Jesus Christus noch eine heilbringende Rolle neben dem allein rettenden Gott zugeschrieben werden kann.[29] Diese Art, die Frage zu stellen, bringt eine wichtige Akzentverschiebung mit sich. Rahner geht es darum, die Verbindung des Menschen mit dem Christus Gottes zu definieren. Dupuis beschäftigt sich eher damit, wie man in der Beziehung des Menschen mit Gott Christus noch einen besonderen Platz geben kann.

Hinter dieser Fragestellung steht der epistemologische Sprung, der den Pluralismus eines John Hick kennzeichnet: Zwischen der menschlichen Geschichte und dem Absoluten besteht ein radikaler Bruch.[30] Nicht nur lässt sich das Absolute an sich nicht in die Geschichte der Menschheit einflechten, sondern man

[26] Siehe z. B. das Zitat von 1. Tim. 2,4 bei Rahner, Die anonymen Christen, 546; und Dupuis, Unterwegs, 308, 430.

[27] Karl Rahner, Die Christologie innerhalb einer evolutiven Weltanschauung, in: Ders., Schriften zur Theologie V, Einsiedeln 1962, 208–209.

[28] Dupuis, Unterwegs, 414, 422–423; Dupuis, La rencontre, 71–72, 247, 258–259.

[29] Dupuis, Unterwegs, 273.

[30] Siehe Dupuis, Unterwegs, 294, 422–423; Dupuis, La rencontre, 255–256, 349–350.

muss behaupten, dass kein historisches Geschehen eine absolute Heilsbedeutung haben kann.

Rahner machte den Unterschied zwischen dem Absoluten und der Geschichte auch, betonte sogar, dass das Heil Gottes selbst ein »absolut transzendentes Geheimnis«[31] sei, aber er konnte trotzdem von Jesus Christus als dem absoluten Erlöser sprechen: Was auf der ontologischen Ebene richtig war, galt nicht mehr auf dieselbe Weise, wenn es um das Heil ging. Er versuchte zu zeigen, wie die Beziehung zwischen dem Menschen und dem Absoluten sich auf einer absoluten Weise in der Geschichte verwirklichen kann und muss, trotz des ontologischen Unterschiedes, der sie trennt. Jesus Christus sei die endgültige, absolute Form der Heilserfahrung, die jedem Menschen geschenkt wird, »die absolute Zugehörigkeit einer menschlichen Wirklichkeit zu Gott« [32]; insofern könne er als der »absolute Heilsbringer« bezeichnet werden[33].

Hier ist eine der seltenen Stellen, wo Dupuis Karl Rahner kritisiert[34], und zwar von einem pluralistischen Ansatz ausgehend[35]. Dupuis besteht darauf, die Bezeichnung »absolut« allein dem ewigen Wesen vorzubehalten. *Stricto sensu* ist Gott allein der absolute Retter, weil er allein von seinem Wesen her absolut ist. Von Absolutheit kann man im Falle Jesu Christi im eigentlichen Sinn nicht sprechen, geschweige denn im Falle des Christentums: Beide sind (auch) historische, menschliche Größen und als solche durch Raum und Zeit begrenzt. Es gibt keine absolute Größe in der Geschichte und also auch nicht in der Heilsgeschichte. Der ontologische Unterschied zwischen dem Absoluten und seinen Kreaturen (einschließlich der Menschheit Jesu) ist hier auf der soteriologischen Ebene nicht behebbar. Die Äußerungen über das Wesen Gottes haben den theologischen Vorrang gegenüber denjenigen bezüglich des Heils Gottes, und das bis in die Beschreibung seines Heilswirkens hinein. Von einer absoluten Verwirklichung des Heils innerhalb der menschlichen Geschichte kann nicht die Rede sein, nicht aus soteriologischen, sondern aus ontologischen Gründen.[36] Das Absolute in der

[31] Karl Rahner, Weltgeschichte und Heilsgeschichte, in: Ders., Schriften zur Theologie V, Einsiedeln 1962, 115.

[32] Rahner, Die Christologie innerhalb einer evolutiven Weltanschauung, 212.

[33] Rahner, Jesus Christus in den nichtchristlichen Religionen, 378, 379, 380, 381, 382.

[34] Dupuis, Unterwegs, 392; Dupuis, La rencontre, 255.

[35] Siehe Dupuis, Unterwegs, 294, wo Dupuis sich ausdrücklich auf das pluralistische Paradigma bezieht.

[36] Siehe z. B. Dupuis, La rencontre, 248, wo die soteriologische Aussage direkt durch die ontologische begründet wird: »Die Wirksamkeit des Verbums überholt die Grenzen, die die wirksame Gegenwart der Menschlichkeit Jesu kennzeichnen, so wie die Person des Verbums das menschliche Wesen Jesu Christi überholt, trotz der ›hypostatischen Union‹, das heißt, der Union in der Person« (eigene Übersetzung).

Durchführung des Heils ist ausschließlich der Heilswille Gottes außerhalb der Geschichte[37], nie die Art und Weise, wie sich dieser Heilswillen innerhalb der Geschichte realisiert. Während Rahner eben wegen der Menschlichkeit Christi ihn als »absolute Vollendung«[38] des menschlichen Heils sehen kann, betont Dupuis lieber, dass die Geschichte das Gebiet des nur Menschlichen ist.

Deswegen also die neue Fragestellung von Dupuis: Wie kann man noch sagen, dass Jesus Christus, obwohl als Mensch ein nicht absoluter Erlöser, trotzdem ein universaler Erlöser ist und konstitutiv zum Heil eines jeden Menschen gehört?[39] Es muss hier bewiesen werden, dass das universale Heil Gottes immer noch ein Heil in Christus bleibt, *trotz* der Menschlichkeit Jesu Christi.[40] Nur was außerhalb der menschlichen Geschichte steht, ist im eigentlichen Sinne universal. Also wird der Ausgangspunkt hier nicht mehr die Anthropologie sein, sondern die Theologie, die Lehre von Gott: Dupuis versucht zu zeigen, wie der Mensch Jesus Christus durch seine Verbindung mit Gott und mit allem, was nicht durch die Geschichte begrenzt ist, eine universale Heilsbedeutung gewinnt.

Um dies zu leisten, benutzt Dupuis, was er selbst eine »trinitarische Christologie« nennt, die er als hermeneutischen Schlüssel bezeichnet, mit Hilfe dessen man die Pluralität der Religionen deuten kann und muss.[41] In dieser trinitarischen Christologie sind die wichtigsten Nuancen erhalten, die Dupuis dem traditionellen Christozentrismus beifügt.

»Trinitarische Christologie« bedeutet, dass das Christusgeschehen immer mit dem Heilshandeln des ewigen Logos und mit dem Heilshandeln des Heiligen Geistes in Zusammenhang gesetzt werden muss, und zwar wegen der persönlichen Identität Jesu Christi als des menschgewordenen Logos. Dupuis bleibt durchaus bei einer inklusivistischen Christologie, die behauptet, Jesus Christus sei wahrhaftig der Sohn Gottes. Der klassische Inklusivismus sagt gewöhnlich, dass das ganze Heilshandeln des Logos darin besteht, Fleisch zu werden, und dass das Heilshandeln des Geistes die universale Bedeutung dieses historischen Ereignisses in der Geschichte der Menschheit entfaltet, indem er alle Menschen mit dem Tod und der Auferstehung Jesu Christi in Verbindung bringt. Man kann

[37] Dupuis, Unterwegs, 529; Dupuis, La rencontre, 72.
[38] Rahner, Die anonymen Christen, 550.
[39] Dupuis, Unterwegs, 392–394, 420–421.
[40] Dupuis, La rencontre, 217.
[41] Dupuis, Unterwegs, 292–297, 526; Dupuis, La rencontre, 253.

sagen, dass das Heilshandeln des Geistes und das des ewigen Logos selbst christozentrisch sind.[42]

Dieses Modell wird aber bei Dupuis etwas umgeändert. Dupuis will nämlich umgekehrt zeigen, dass das historische Ereignis theozentrisch zu verstehen ist, und zwar in dem Sinne, dass die Heilsbedeutung des Christusgeschehens durch das Handeln des Geistes und des Logos abgegrenzt wird. Das klassische Schema führt dazu, das Heilshandeln des Geistes und des Logos auf ein einziges historisches Ereignis zu reduzieren. Die trinitarische Christologie von Dupuis hat zum Ziel, dieses Ereignis als historisch zu relativieren und gleichwohl zu zeigen, wie es trotzdem als universal verstanden werden kann.

Dies geschieht dadurch, dass Dupuis dem Logos Gottes nicht nur eine, sondern zwei verschiedene Heilshandlungen zuschreibt. Das von ihm vorgeschlagene Modell weicht von der traditionellen hohen Christologie des Inklusivismus ab, indem er zwei Handeln des göttlichen Logos unterscheidet, eines, das er als inkarnierter Logos vollbringt, das andere, das er als nicht fleischgewordener Logos schon vor der Inkarnation entfaltete und nach der Inkarnation als solches weiterführt.[43] Dupuis weigert sich, wie die Pluralisten zu behaupten, dass Jesus von Nazareth und der ewige Logos auf ontologischer Ebene verschieden sind und also zwei »Personen« wären; aber aufgrund desselben epistemologischen Prinzips unterscheidet er in der Ökonomie zwischen zwei Heilshandeln des einen Logos, das des Logos »als solchem«[44] und das des inkarnierten Logos. Indem er dies tut, betont Dupuis, dass das Heilshandeln Gottes durch den Logos sich nicht im Christusgeschehen erschöpft.[45] Etwas von dem Logos scheint also von der Inkarnation unangetastet zu bleiben, sogar und eben in der Ökonomie. Aus demselben Grund darf man auch das Handeln des Geistes nicht auf die Sendung des Geistes durch den auferstandenen Christus reduzieren[46]. Das Heilshandeln des ewigen Verbums, des Sohnes Gottes, der nicht fleischgeworden und also absolut geblieben ist, ist wie das Handeln des Heiligen Geistes dadurch gekennzeichnet, dass beide nicht durch eine Einbettung in die Geschichte begrenzt sind. Es kann

42 Siehe die Autoren, die Dupuis selbst erwähnt und zitiert, wenn er den »Logozentrismus« und den »Pneumatozentrismus« kritisiert (Dupuis, Unterwegs, 281, 282–283, 295–296).

43 Dieser Punkt wird besonders in der revidierten Version des Buches unterstrichen, wo das sechste Kapitel (Dupuis, La rencontre, 217–251) dieser einzigen Frage gewidmet ist; siehe aber auch Dupuis, Unterwegs, 414.

44 Dieser Ausdruck kommt im benannten Kapitel der revidierten Version immer wieder vor. 1997 benutzt Dupuis den griechischen Ausdruck Logos asarkos (Dupuis, Unterwegs, 401, 414, 417).

45 Dupuis, Unterwegs, 414; Dupuis, La rencontre, 247, 248; vgl. Dupuis, Unterwegs, 350, 378, 518.

46 Dupuis, Unterwegs, 437; Dupuis, La rencontre, 217, 276–277.

zwar nicht von zwei selbständigen Heilsökonomien gesprochen werden, der des Menschen Jesus Christus, für die Christen allein vorgesehen, und der des ewigen Logos und des ewigen Geistes, die an alle Menschen ausgerichtet wäre: Durch die persönliche Identität Jesu von Nazareth als des Logos Gottes ist die Verbindung zwischen diesen Heilshandlungen gesichert.[47] Jedoch besteht aufgrund der historischen Begrenztheit des Christusgeschehens ein radikaler Unterschied zwischen der Heilsbedeutung dieses Geschehens und dem, was der Logos »als solcher« und der Geist vollbringen können.

Um diesen Unterschied auszudrücken, ohne dem Logos »als solchem« aus ontologischen Gründen ein breiteres und universaleres Handlungsfeld zuschreiben zu müssen als dem inkarnierten Christus – wie der »Logozentrismus« es tut –, spricht Dupuis nicht von mehr oder weniger großen Handlungsfeldern, sondern von qualitativ verschiedenen Weisen, universale Heilsbedeutung zu bekommen. Diese Weisen sind nicht nur zwei, sondern gar drei: Dupuis setzt das Christusgeschehen nicht nur mit dem Heilshandeln des Logos »als solchem« und des Heiligen Geistes in Zusammenhang, sondern auch mit dem »Heilsvermögen« des auferstandenen Christus.[48] Mit drei Arten des Heilswirkens des Sohnes Gottes hat man es hier zu tun, die jeweils dadurch gekennzeichnet sind, welchen ontologischen Status der Sohn Gottes gerade hat: Für Dupuis sind die verschiedenen Akteure des Heils dadurch gekennzeichnet, dass sie sich entweder innerhalb oder außerhalb der Geschichte finden:

> »... das immer währende, erleuchtende und lebenspendende Handeln des Logos als solchem ist auf jeden Fall ›relationiert‹ mit der ›Konzentration‹ des göttlichen Heils in dem Logos als in Jesus Christus inkarniert und mit der dauernden Aktualität des historischen Geschehens durch den auferstandenen Zustand seiner Menschlichkeit.«[49]

Das Spezifische des Christusgeschehens, also des Lebens Jesu Christi, solange er zu der Geschichte der Menschheit gehörte, ist, dass es das höchste und unübertreffliche Konzentrat der Selbstmitteilung Gottes an die Menschen darstellt. In dem Leben Jesu erreicht die Offenbarung Gottes ihr höchstes Maß an historischer Konsistenz, und zwar in einzigartiger und unübertrefflicher Weise.[50] Inso-

[47] Dupuis, La rencontre, 218–219.
[48] Dupuis, La rencontre, 59.
[49] Dupuis, La rencontre, 227 (eigene Übersetzung).
[50] Dupuis spricht von dem »Ereignis, in dem die unübertreffliche Konzentration der Selbstmitteilung Gottes stattgefunden hat« (Dupuis, La rencontre, 225 – eigene Übersetzung); siehe auch Dupuis, Unterwegs, 437, 529; Dupuis, La rencontre, 245, 249–250.

fern ist nach Dupuis das Christusgeschehen für das Heil eines jeden Menschen »konstitutiv«[51]. Die tiefste und menschlichste Offenbarung Gottes ist aber eben deswegen auch von ihrem Wesen her begrenzt.[52]

Das Christusgeschehen mag für das Heil konstitutiv sein, jedoch »handelt« es nicht im eigentlichen Sinne. Die Worte »Heilswirken« oder »Heilshandeln« werden von Dupuis dem Logos »als solchem« und dem Geist vorbehalten. Die eigentlichen Akteure des Heils, die in der Geschichte ständig am Werk sind und »handeln«, sind der Logos und der Geist. Ihr Heilshandeln »transzendiert« die zeitlichen und räumlichen Grenzen[53]: Es währet immer und überall, in einer Art *salus continua*. Anders als das Christusgeschehen, das »punktuelle historische Ereignis«[54], das als »Sakrament« und »Siegel«[55] des Heils dann universale Heilsbedeutung gewinnt, bezieht sich die Heilsuniversalität des Logos und des Geistes auf ihr Handlungsfeld, das durch Raum und Zeit unbegrenzt ist.

Dazu kann man noch das Heilsvermögen des auferstandenen Christus zählen, der eben durch die Auferstehung »übergeschichtlich« oder »metahistorisch« geworden ist.[56] Die Auferstehung bekommt hier eigentlich den theologischen Inhalt der Himmelfahrt, verstanden als eine Aufhebung der Gesetze der Geschichte und der Endlichkeit. Obwohl in diesem Sinne universal, hat aber die auferstandene Menschheit Jesu keine absolute Heilsbedeutung: wenngleich sie sich außerhalb der Geschichte befindet und also in Zeit und Raum universal wird, ist sie jedoch von ihrem menschlichen Wesen her begrenzt[57]: Es ist nicht so, dass das Heilshandeln des ewigen Logos sich nun nach der Auferstehung in ihr erschöpfen könne oder müsse[58]. Statt von einem »Heilshandeln« des Auferstandenen spricht also Dupuis lieber von seiner permanenten »Aktualität«[59], in jeder Zeit und an jedem Ort, und von seiner universalen und inklusiven »Gegenwart«[60].

Durch die so dargestellte trinitarische Christologie scheint die Heilsgeschichte zu einer »Heilsgeographie« zu werden. Der Heilsplan Gottes wird zu einem geo-

[51] Dupuis, La rencontre, 245; vgl. Dupuis, Unterwegs, 412. Den Sinn, in dem das Adjektiv »konstitutiv« von Dupuis gebraucht wird, erläutert er im Kapitel 11: »Der eine und universale Jesus Christus« (Dupuis, Unterwegs, 389–421; siehe vor allem 393, 420–421).

[52] Dupuis, Unterwegs, 414, 529; Dupuis, La rencontre, 247.

[53] Dupuis, Unterwegs, 443; Dupuis, La rencontre, 243.

[54] Dupuis, Unterwegs, 301; siehe auch Dupuis, Unterwegs, 314.

[55] Dupuis, La rencontre, 245; siehe auch Dupuis, Unterwegs, 414, 417.

[56] Dupuis, Unterwegs, 413, 437, 529; Dupuis, La rencontre, 72–73, 246, 247, 253, 271.

[57] Dupuis, Unterwegs, 413, 529; Dupuis, La rencontre, 255–256.

[58] Dupuis, La rencontre, 247, 256.

[59] Dupuis, La rencontre, 247, 248.

[60] Dupuis, Unterwegs, 437; Dupuis, La rencontre, 387.

graphischen »Plan«: Dupuis beschreibt das Heil Gottes als ein riesiges Netzwerk, in dem sich verschiedene Vermittler des Heils treffen und sich verschiedene Heilshandlungen gegenseitig ergänzen und begrenzen:

> »Das läuft darauf hinaus, dass die verschiedenen Komponenten der trinitarisch-christologischen Heilsökonomie in einem Verhältnis der gegenseitigen Bedingung stehen, weshalb nicht ein einzelner Aspekt auf Kosten der anderen betont werden darf, wie auch umgekehrt keiner zugunsten der anderen hinuntergespielt werden kann.«[61]

Dupuis' »Heilsgeographie« soll einerseits zeigen, dass das universale Heilshandeln des absoluten Gottes, bedingt durch den Heiligen Geist und den nicht inkarnierten Logos, immer in Verbindung mit Jesus als dem Christus geschieht. Andererseits, sobald Dupuis in seiner Argumentation nicht mehr die universale Bedeutung des Christusgeschehens behaupten will, sondern zeigen möchte, dass dieses Geschehen nicht zu verabsolutieren ist, erlaubt ihm dieselbe trinitarische Christologie, die Relativität des historischen Geschehens zu betonen.[62] In dem Netzwerk des Heils gibt es eigentlich keinen Mittelpunkt mehr: Von den verschiedenen »Dimensionen«, die die Vermittlung des göttlichen Heils einnimmt, ist keine das einzige Zentrum dieses Heils, sondern sie müssen »miteinander verbunden und integriert« werden.[63] Hier liegt der Unterschied sowohl zum traditionellen Christozentrismus als auch zum »Logozentrismus« oder zum »Pneumatozentrismus«: Die Tendenz, die verschiedenen Zentren gegeneinander auszuspielen, wird durch Dupuis' trinitarische Christologie neutralisiert.

Diese Christologie wird nicht nur entfaltet, um das Prinzip der Unvereinbarkeit des Absoluten und der Geschichte in Kauf zu nehmen und das historische Ereignis Jesus Christus in einen breiteren Rahmen zu setzen. Das Heilswirken des Logos und des Geistes sowie die universale Präsenz des Auferstandenen werden hier erwähnt, um die universale Heilsbedeutung Jesu Christi in seiner Menschheit abzugrenzen und ihr ein Gegengewicht zu geben. Das »punktuelle« Christusgeschehen in seiner Eigenartigkeit soll »Raum lassen« für das Heilshandeln des Logos »als solchem« und des Geistes. Die Metapher des »Raum-Lassens« kommt bei Dupuis mehrmals vor.[64] Sie bedeutet letztendlich, dass der Logos »als solcher« und der Geist auch anderes in der Geschichte hervorrufen als

[61] Dupuis, Unterwegs, 314.
[62] Siehe beispielsweise Dupuis, Unterwegs, 437.
[63] Dupuis, Unterwegs, 437.
[64] Dupuis, Unterwegs, 342, 417; Dupuis, La rencontre, 387.

dieses Ereignis allein – obwohl nie ohne Verbindung mit ihm: Weil die Heilsuniversalität des Christusgeschehens anders konzipiert wird als die des Logos und des Geistes, kann Dupuis sowohl behaupten, dass das Christusgeschehen universal heilskonstitutiv bleibt als auch, dass der Heilswillen Gottes sich durch den Logos und den Geist in der Geschichte noch anders verwirklicht als in Jesus Christus.

Hier kann Dupuis nun bei den Weltreligionen ansetzen. Das immer und überall währende Wirken des Logos »als solchem« und des Geistes ist in direkte Verbindung zu den Weltreligionen zu setzen:

> »Der trinitarisch-christologische Interpretationsschlüssel ermöglicht es, die universale wirksame Gegenwart des Wortes Gottes und seines Geistes zu betonen als eine Quelle der Erleuchtung und der Inspiration von religiösen Gründergestalten und den Traditionen, die aus deren Erfahrung entsprungen sind.«[65]

So erklärt also Dupuis die Entstehung der Religionen der Menschheit. Durch seine trinitarische Christologie sorgt er dafür, dass das Christusgeschehen den Weltreligionen »Raum lässt«[66]: Sie sind und bleiben mögliche Instrumente des göttlichen Heils, sogar nach dem Ereignis Jesus Christus. Ihre bleibende Wirksamkeit hängt damit zusammen, dass das punktuelle Ereignis das Heil Gottes nicht umfasst, sondern mit anderen Arten der Selbstmitteilung Gottes an die Menschen verbunden ist.[67] Darüber hinaus aber deutet Dupuis sogar an, dass die Religionen als solche die Frucht des Heilshandelns Gottes sind: Der Geist und der nicht inkarnierte Logos sind es, die nicht nur in den Weltreligionen wirken, sondern sie auch zum Vorschein bringen und in der Geschichte der Menschheit hervorrufen. So kann Dupuis von den Religionen als »Gaben Gottes«[68] an die Menschen sprechen – in ihrer Andersartigkeit[69]: Das Christusgeschehen ist eigenar-

[65] Dupuis, Unterwegs, 526; vgl. Dupuis 1997, 313, 347, 443.

[66] Siehe Dupuis, Unterwegs, 510, 518, wo die Metapher auch auf die Beziehung zwischen Jesus Christus und den Weltreligionen angewandt wird; vgl. Dupuis, Unterwegs, 353, 391.

[67] Dupuis, Unterwegs, 301.

[68] Dupuis, La rencontre, 75, 387. Den Ausdruck nimmt Dupuis von Giovanni Odasso (Giovanni Odasso, Bibbia e religioni. Prospettive bibliche per la teologia delle religioni, Rom 1998, 372).

[69] Am Schluss seines Buches spricht Dupuis von dem »irreduziblen Charakter, den die Selbstmitteilung Gottes im Wort und im Geist jeder Tradition eingeprägt hat« (Dupuis, Unterwegs, 590). Er hütet sich zwar, von »autonomen Heilswegen« zu sprechen; in der revidierten Version seines Buches aber bezeichnet er die »Elemente der Wahrheit und der Gnade«, die die Weltreligionen beinhalten, sehr wohl als »autonom« und dem Christentum gegenüber als »zusätzlich« (Dupuis, La rencontre, 213, 390–392). Es geht ihm um den »autonomen Wert« der Religionen (Dupuis, La rencontre, 108). In diesem Sinne ist auch wohl die Rede der »Komplementarität« zwischen dem Christentum und den anderen Religio-

tig, das Handeln des Logos »als solchem« und des Geistes scheint aber durch seine »Uneigenartigkeit« geprägt zu sein. Logos und Geist wirken in jeder Zeit und an jedem Ort in »vielfältigen Modalitäten«[70]. Durch die Religionen teilt Gott sich ihren Anhängern »auf verschiedenartige und unterschiedliche Weise« mit.[71] Insofern bildet jede Religion in ihrer je eigenen Weise einen Weg zum Heil, und diese Pluralität der religiösen Heilswege stellt Dupuis als von dem trinitarischen Gott eingesetzt und gewollt dar.[72]

Das Prinzip der Unvereinbarkeit des Absoluten und der Geschichte reicht für die Pluralisten aus, um die tatsächliche Pluralität der Weltreligionen zu erklären: Was historisch ist, ist immer und notwendig plural. Es ist eine Art Gesetz der Geschichtlichkeit des Menschen. Die Heilsgeschichte, die historische Gestalt, die das Heil Gottes annimmt, entfaltet sich notwendig in vielfältiger Weise, und zwar in der Religionsgeschichte. Dank seiner trinitarischen Christologie aber beschreibt Dupuis diesen Sachverhalt nicht als eine Art Fatalität, sondern er führt die Pluralität der Religionen auf den Heilswillen Gottes zurück. Hier liegt der große Unterschied zwischen Dupuis und den Pluralisten: Für John Hick ist die Pluralität der Religionen mit einer epistemologischen Prämisse verbunden, nach der alles Historische immer plural ist; Dupuis aber versucht, den göttlichen Ursprung dieser Pluralität im Heilswillen des personalen Gottes Jesu Christi theologisch plausibel zu machen. Der dreieinige Gott ist selbst der Ursprung der Religionen in ihrer Vielfalt.[73] Die trinitarische Christologie Dupuis' bedeutet, dass der Gott Jesu Christi vor allem der dreieinige Gott ist, der durch seinen nicht inkarnierten Logos und durch seinen Geist in der Geschichte die Weltreligionen hervorruft, sodass sie zwar mit dem Christusgeschehen in Beziehung gesetzt werden, aber ihm gegenüber doch eine gewisse Autonomie besitzen: Die Religionen sind nicht mehr innerhalb der Geschichte mit Christus direkt verbunden, sondern indirekt, durch das Netzwerk der »Heilsgeographie« Gottes, das diese Beziehung sichert.

nen zu verstehen (siehe z. B. Dupuis, Unterwegs, 351–355, 449–453, 530–532; Dupuis, La rencontre, 213–214, 390–392).

[70] Dupuis, Unterwegs, 298.

[71] Dupuis, Unterwegs, 436.

[72] Nach Dupuis hat Gott die Weltreligionen »ins Sein gerufen« (Dupuis, Unterwegs, 298). Sie sind »Wege, die Gott selbst für das Heil der Menschen gelegt hat« (Dupuis, La rencontre, 387 – eigene Übersetzung).

[73] Siehe Dupuis, Unterwegs, 528–529.

Zwei verschiedene Weisen, Christus und das Heil des Menschen in Verbindung zu bringen

Der Hauptunterschied zwischen der Auffassung von Dupuis und derjenigen Karl Rahners besteht in der Art und Weise, den Ursprung der Religionen zu beschreiben – und dieser Unterschied hängt letztendlich auch davon ab, wie jeder der beiden Autoren seine Fragen stellt und dann entweder einen anthropologischen oder einen rein theologisch-christologischen Ansatz wählt. Für Dupuis sind die Religionen nicht nur die notwendig sozial-geschichtliche Gestalt, die das Leben des begnadeten Menschen annimmt, wie noch bei Rahner, sondern als solche direkte Gaben Gottes an die Menschen hinsichtlich ihres Heils. Die »heilbringenden Werte«, die sich in den Weltreligionen befinden, stellen nicht mehr die gesellschaftliche Dimension der universalen Verwirklichung des »übernatürlichen Existentials« im Leben des Menschen dar: Für Dupuis gehören die Weltreligionen als solche zum Handlungsraum des ewigen Logos und des Geistes und sind selbst das Produkt von deren Heilshandeln.

Das hat aber Konsequenzen für die Definition dieses Heils selbst. Sowohl Rahner als auch Dupuis bestehen darauf: Das Heil Gottes, dem die Weltreligionen zu Diensten stehen, ist das Heil »in Jesus Christus«. Die Art und Weise, Christus und das Heil eines jeden Menschen inhaltlich in Verbindung zu bringen, ändert sich aber, wenn man von der Perspektive Karl Rahners Abschied nimmt, die die Religionen von der Anthropologie her als die indirekte Konsequenz des Heils sieht und sie eher wie Dupuis als direkt von oben eingesetzte Heilswege definiert. Um diesen Unterschied zwischen zwei Weisen, Christologie und Soteriologie in Verbindung zu bringen, deutlicher zu machen, sollen hier noch einmal einige Züge der Theorie Karl Rahners vorgestellt werden, diesmal aber so, wie er sie in seinem *Grundkurs des Glaubens* darstellt.[74]

Hinter dem von Karl Rahner geprägten Ausdruck »anonymes Christentum« steckt die Überzeugung, dass die Weltreligionen, wenn sie denn tatsächliche Heilsmittel sind, das *christliche* Heil vermitteln. Wie man dieses Adjektiv »christlich« verstehen kann, wird von Karl Rahner im *Grundkurs des Glaubens* etwas anders erklärt als in früheren Aufsätzen. Rahner greift in diesem Buch die Frage des »anonymen Christentums« wieder auf und kommt nun auf das Wirken

[74] Karl Rahner, Grundkurs des Glaubens. Einführung in den Begriff des Christentums, Freiburg/Basel u. a. 1976, 303–312; vgl. Ders., Jesus Christus in den nichtchristlichen Religionen.

des Heiligen Geistes zu sprechen, anstatt vom »übernatürlichen Existential« zu reden. Wenn man sagen kann, dass jedes menschliche Leben von vornherein auf Christus hin orientiert ist, dann deshalb, weil dies vom Geist Gottes bewirkt wird. Dupuis sagt in seiner trinitarischen Christologie nichts grundsätzlich anderes. Rahner aber vertieft diese erste Äußerung mit viel Genauigkeit, im Gegensatz zu Dupuis, der die Christusorientiertheit dessen, was der Geist Gottes bewirkt, prinzipiell behauptet.[75]

Rahner sagt zuerst, dass der Geist jeden Menschen nicht nur vage auf Christus, sondern auf das historische Ereignis Jesus Christus und auf sein Kreuz hin ausrichtet. Wenn man zeigen will, wie der vom Geist bewirkte heilschaffende Glaube überall einen christologischen Charakter hat, genügt es nicht, den Geist mit Christus nur auf der ontologischen Ebene der Dreieinigkeit in Zusammenhang zu bringen, wegen des ewigen Hervorgehens des Geistes aus Vater und Sohn: Man muss das Heilshandeln des Geistes auch mit der historischen und konkreten Existenz Jesu Christi, des inkarnierten Sohnes, in Verbindung setzen, und zwar mit dem Ereignis des Kreuzes.[76]

Rahner fragt dann, ob die Beziehung zwischen Heiligem Geist und Kreuz Christi nur in den Absichten Gottes existiert, die die Geschichte transzendieren, oder ob zwischen den beiden innerhalb der Geschichte ein inhaltliches und direktes Verhältnis besteht.[77] Für ihn kann das spezifisch »Christliche« am Heil nicht nur im absoluten Heilswillen Gottes seinen Bestand haben: Die Mitteilung des Geistes ereignet sich nie »in bloß abstrakter Transzendentalität, sondern in geschichtlicher Vermittlung«, die auf ein genauso geschichtliches Ereignis hin ausgerichtet sein muss, und zwar auf die Inkarnation, das Kreuz und die Auferstehung Jesu Christi hin.[78]

Daher bezeichnet Rahner den Geist als »Wirkursache von Inkarnation und Kreuz«, Jesu Leben und Tod aber als die »Finalursache der Geistmitteilung an die Welt«: Die Selbstmitteilung Gottes mündet nicht in das Christusgeschehen, nur weil es der absolute Heilswille Gottes von außen beabsichtigt hat, sondern sie hat ihre »irreversible« und »eschatologische« Gestalt in dem Christusereignis zum Ziel, sodass man innerhalb der Geschichte von einer »inneren Bezogenheit«

[75] Dupuis, Unterwegs, 294–296.

[76] Rahner, Grundkurs, 308. Das Wort »Kreuz« kommt bei Dupuis kaum vor; wenn er davon spricht, beschreibt er es als zu den »Wechselfällen« des menschlichen Lebens Jesu gehörend (Dupuis, La rencontre, 246).

[77] Rahner, Grundkurs, 308.

[78] Rahner, Grundkurs, 309.

des Geistes auf Jesus Christus sprechen kann.[79] So besteht ein direkter, inhaltlicher und nicht nur von außen her bestimmter Zusammenhang zwischen dem universalen Heilshandeln des Geistes und dem Leben dieses spezifischen Menschen, Jesus, der Christus.

Durch den Geist ist jeder heilschaffende Glaube von der *memoria*, von der »Anamnese« des Christusereignisses geprägt. Das Kommen des »absoluten Heilsbringers« wird in der Geschichte antizipiert und gehört zu ihrer Struktur in dem Sinne, dass der Mensch etwas Endgültiges erwartet, das ihn »aus der offenen Pluralität von gleich-gültigen Möglichkeiten« herausbringt.[80] Jesus Christus als Erfüllung dieser Erwartung strukturiert auf diese Weise die ganze Geschichte, die auf der Suche nach ihm ist. Insofern gibt es einen konkreten, inhaltlichen Zusammenhang zwischen dem Heil eines jeden Menschen und Christi Leben, Tod und Auferstehung.

Diese Argumentation kann aber, so Rahner, die »Präsenz Christi« nur in dem Glauben des Einzelnen beweisen, weil sie eben von der Anthropologie her gedacht ist: Die Erwartung des »absoluten Heilsbringers« ist durch das »übernatürliche Existential« in jedem Menschen gegenwärtig. Die Frage der »Präsenz Christi« in den Weltreligionen selbst überlässt Rahner aber dem Religionsgeschichtler: Sie bedarf eines »aposteriorischen« Beweises, der nur nach Beobachtung und Beurteilung der geschichtlichen Religionen zu geben ist. Der Religionsgeschichtler wird versuchen, nachzuweisen, inwiefern die Erwartung eines »absoluten Heilsbringers« in den Weltreligionen bezeugt ist.[81] Insofern nimmt das Christusereignis indirekt nicht nur eine strukturierende, sondern sogar eine kriteriologische Funktion ein.

Auch Dupuis betont, dass das Heil des Menschen in Jesus Christus ist. Zu der genauen Weise, wie dies geschieht, äußert er sich aber nicht. Für Rahner wäre es theologisch nicht zu verantworten, das »Wie« des Heils eines Menschen in Jesus Christus nicht zu erläutern zu versuchen: Es bedarf einer theologischen Klärung, wie das Heil eines jeden Menschen tatsächlich ein Heil in Jesus Christus wird.[82] Im Gegensatz dazu behauptet Dupuis, die Theologie bedürfe einer solchen Klärung nicht, und sogar, sie dürfe dieser Frage nicht nachgehen. Mit den Worten der trinitarischen Christologie drückt er es so aus: Die Theologie darf nicht zu erklä-

[79] Rahner, Grundkurs, 309–310.
[80] Rahner, Grundkurs, 311–312.
[81] Rahner, Grundkurs, 304–305, 307, 312.
[82] Rahner, Grundkurs, 305.

ren versuchen, *wie* das Heilshandeln des nicht inkarnierten Logos und des Geistes einerseits und das Christusgeschehen andererseits inhaltlich aufeinander hin bestimmt sind. Auf theologischer Ebene ist allein notwendig, *dass* (*an sit*) man die Existenz eines solchen Verhältnisses behauptet. Was das »Wie«, das *quomodo sit* dieses Verhältnisses angeht, spricht Dupuis von einem angemessenen »theologischen Apophatismus«.[83] Für ihn besteht also tatsächlich ein Verhältnis zwischen dem universalen Heilshandeln des Logos und des Geistes und dem historischen Christusereignis: Die Wahl einer hohen Christologie erzwingt dies. Die Konsequenzen dieser Christologie auf soteriologischer Ebene werden aber nicht gezogen. Die christologische Soteriologie von Dupuis beginnt mit dieser prinzipiellen Behauptung, hört aber auch mit ihr auf. Alles, was die Theologie noch hinsichtlich des Heils Gottes hinzufügen würde, ginge über ihre Pflicht, »bescheiden und zurückhaltend« zu sein[84], hinaus. Das Prinzip der Unvereinbarkeit des Absoluten und der Geschichte wird hier bis in den theologischen Diskurs über das Heil umgesetzt: Der «theologische Apophatismus« über das Absolute wird hier zu einem soteriologischen Apophatismus, der dem Heil Gottes seinen geheimnisvollen Inhalt belässt, auch in der Beschreibung der Art und Weise, wie es sich in der Geschichte verwirklicht.

Dupuis folgt also dem Gedankengang Rahners nicht bis zum Ende. Geschieht dies wirklich aus Bescheidenheit und Zurückhaltung, oder wäre der Grund dafür auch noch anderswo zu suchen? Rahner kann viel ausführlicher sein als Dupuis, dank einer sehr engen Verknüpfung zwischen dem Heilshandeln des Geistes an jedem Menschen und dem historischen Christusgeschehen. Die trinitarische Christologie eines Dupuis aber hat eben zum Ziel, die Beziehung zwischen dem Leben Jesu und dem Leben eines jeden Menschen zu lockern: Das Christusgeschehen wird in das Heilshandeln des Logos und des Geistes miteinbezogen, aber nur aus ontologischen Gründen, wegen der persönlichen Identität Jesu als des inkarnierten Logos. Es besteht ein ontologisches Verhältnis zwischen den verschiedenen Vermittlern des Heils: zwischen Jesus, dem auferstandenen Christus und dem nicht fleischgewordenen Logos, zusammen mit dem Geist, zwischen den Akteuren des Heils also, aber es gibt keine inhaltliche Beziehung zwischen ihren Aktionen. Die Beschreibung des historischen Geschehens als

[83] Dupuis, La rencontre, 251.
[84] Dupuis, La rencontre, 251.

solchem, also des Lebens, des Todes und der Auferstehung Jesu Christi, sagt eigentlich nichts aus über die konkrete Gestalt des Heils eines jeden Menschen.

Wie sieht nun das Heil eines Menschen in Jesus Christus aus, wenn es nicht mehr, wie noch bei Rahner und in seiner Anthropologie, vom Christusereignis her definiert werden kann? Hier kommen wieder die Weltreligionen in Betracht. Dupuis hat sie als direkte Gaben Gottes an die Menschheit dargestellt, die eigentlich nur indirekt mit dem Christusgeschehen verbunden sind, wie die Fragestellung Dupuis' zeigt:

> »Dass das historische Christusereignis, das in dem österlichen Mysterium seines Todes und seiner Auferstehung kulminiert, universale Heilsbedeutung hat, muss hier nicht weiter entfaltet werden. Was jedoch im Gegensatz dazu noch näher erläutert werden muss, ist, wie seine heilschaffende Kraft auf die Mitglieder anderer religiöser Traditionen ausgreift. Geschieht dies nur durch ein unsichtbares Wirken der verherrlichten Menschheit, die durch Auferstehung und Verherrlichung ›übergeschichtlich‹ geworden ist, jenseits der Bedingtheit von Raum und Zeit? Oder erreicht das Heilshandeln Gottes in Jesus Christus die Mitglieder anderer Religionen durch eine bestimmte ›Vermittlung‹ ihrer eigenen religiösen Traditionen? Sind diese dann in gewisser Weise ›Kanäle‹ der Heilsmacht Christi, und wenn ja, in welchem Sinn? Verleihen die Traditionen der Heilsmacht Christi eine gewisse Sichtbarkeit und einen sozialen Charakter, wenn sie ihre Mitglieder erreicht? Sind sie Zeichen, wie unvollkommen auch immer, dieses Heilshandelns?«[85]

Was bei Rahner unbedingt einer Klärung bedarf, nämlich dass das Christusereignis universale Heilsbedeutung hat, wird von Dupuis ohne Beweis als ein bloßes Prinzip ausgesprochen. Die Frage, der Dupuis nun »apriorisch« nachgehen will, ist aber die, die Rahner dem Religionsgeschichtler überlassen hat: Rahner versuchte, die Präsenz Jesu Christi im Leben des Einzelnen zu beweisen und wegen dieser Präsenz eine möglichen Präsenz Christi auch in den Religionen dieser Einzelnen als Hypothese anzudeuten. Dupuis sieht diese Frage nicht mehr als eine »aposteriorisch« zu behandelnde an, sondern nimmt sie auf als eine Alternative zur Behauptung eines direkten, »unsichtbaren Handelns« des Auferstanden im Leben des Einzelnen.[86] Die Religionen werden hier nicht mit dem konkreten und fassbaren Christusereignis innerhalb der Geschichte in Bezie-

[85] Dupuis, Unterwegs, 437–438.
[86] Siehe auch Dupuis, Unterwegs, 212.

hung gesetzt, sondern nur mit dem »übergeschichtlichen« Auferstandenen[87], dessen Handeln durch seine »Unsichtbarkeit« gekennzeichnet wird. Diesem »Unsichtbaren« zieht Dupuis das »Sichtbare« vor, und zwar in einer Weise, dass der Eindruck entsteht, die Religionen wären das Sichtbare an einem unsichtbaren Christus, der nun vom »Christusereignis« zum »Christusmysterium« wird:

> »In der Tat ist [die] eigene religiöse Praxis die Wirklichkeit, die [der] Erfahrung Gottes und des Mysteriums Christi Ausdruck verleiht. Sie ist das sichtbare Element, das Zeichen, das Sakrament dieser Erfahrung. Diese Praxis drückt sozusagen [die] Begegnung mit Gott in Jesus Christus aus, unterstützt, trägt und umfasst sie.«[88]

Die konkrete Durchführung des Heilsplanes Gottes ist nicht mehr eine Suche nach dem Christusgeschehen, die auch in den Weltreligionen nachweisbar sein könnte, sondern ein Prozess der »Sakramentalisierung« des »Mysteriums Christi«. Die Religionen der Welt geben dem christlichen Heil seinen Inhalt und seine historische Dichte. Diese Sakramentalisierung geschieht auf so viele verschiedene Arten und Weisen, wie es Religionen in der Weltgeschichte gibt.[89] So ist also jede Religion in ihrer Eigenart und in ihrer Verschiedenheit eine Weise, den absoluten Heilswillen Gottes in Christus geschichtlich und inhaltlich zu füllen.

Dupuis hört eigentlich an derjenigen Stelle im Gedankengang Rahners auf, an der dieser sich fragt, ob das Verhältnis zwischen dem Heilshandeln des Geistes und Christus nur ontologisch gesichert ist, durch die persönliche Identität zwischen Christus und dem Logos. Die Art und Weise, wie das Heil in seiner historischen Konkretheit nicht nur Heil in Christus, sondern in *Jesus* Christus genannt werden kann, bleibt bei ihm unerläutert, und zwar nicht nur aus Zurückhaltung, sondern auch, weil er den historischen, konkreten Gehalt der Weltreligionen in den Vordergrund stellen will. Dies geschieht aber auf Kosten des soteriologischen Gewichts des historischen Lebens Jesus Christi, der hier symptomatisch gegen das »unsichtbare Handeln« des Auferstandenen ausgetauscht wird. Hier unterscheidet sich Dupuis von Rahner am deutlichsten. Statt eines Christentums, das in den Weltreligionen anonym und in der Kirche explizit wird, hat man es bei Dupuis eigentlich mit einem unsichtbaren Handeln oder einer unsichtbaren

[87] Siehe auch Dupuis, La rencontre, 246, 247, 387, 389–390, wo Dupuis erklärt, dass das historische Christusereignis erst durch den »metahistorischen« Zustand des Auferstandenen universal wird; vgl. Dupuis, La rencontre, 219.
[88] Dupuis, Unterwegs, 440.
[89] Ebd.

Gegenwart Christi zu tun, deren historische Sichtbarkeit durch die Weltreligionen wiederhergestellt wird.[90]

Wenn Dupuis dann eine theologische Definition des Heils vorschlägt, so betont er, dass man zu diesem Zweck notwendig einen Begriff wählen sollte, der universal und so neutral wie möglich ist, damit er alle besonderen »Wege des Heils«, die die Weltreligionen vorschlagen, umfassen kann.[91] Dupuis gibt also vom Heil eine Definition *a minima*: »Erlösung/Befreiung«, eine Definition, die der Pluralist John Hick schon vor ihm vorgeschlagen hat.[92] Das Heil ist ein Heil in Jesus Christus, darauf besteht Dupuis wie die Inklusivisten, aber der Name Jesus Christus kommt in der konkreten Beschreibung des Heils nicht vor und soll es auch nicht: Nur eine pluralistische, möglichst generelle Definition des erlebten Heils vermag den Weltreligionen als solchen, in ihrer Verschiedenheit auch dem Christentum gegenüber, freien Raum zu geben. Rahner kann von einem »anonymen Christentum« sprechen, weil er auch von Jesus Christus als dem zu der konkreten Struktur jeden Heils Zugehörigen spricht. Von den nichtchristlichen Religionen wird nach genauer Beobachtung durch den Religionsgeschichtler nur dasjenige soteriologisch bewertet, das dieser Struktur auch entspricht. Das Ziel von Dupuis ist es aber, über die Theorie des »anonymen Christentums« hinauszukommen. Nur eine generelle, nicht christologische Definition des Heils erlaubt es, dass dieser Begriff dann inhaltlich von jeder Religion auf ihre eigene und spezifische Art gefüllt wird, ohne auf das Christusereignis hin orientiert zu sein. Nur indem Dupuis darauf verzichtet, den heilschaffenden Glauben des Menschen konkret mit dem Leben Jesu Christi in Verbindung zu setzen, also durch den Verzicht auf eine christologische Definition des konkreten Heils, kann die Anonymität des »anonymen Christentums« Karl Rahners aufgehoben werden. Die Religionen der Welt führen zwar zu dem Heil in Jesus Christus, aber nicht mehr zu einem christlichen oder christologisch konkret geprägten Heil. Um es etwas zugespitzt auszudrücken: Für Rahner ist ein Anhänger des Hinduismus eigentlich als Christ gerettet; für Dupuis ist ein Hindu in Jesus Christus als Hindu erlöst. Was durch die Hinzufügung des Ausdrucks »in Christus« hier gewonnen

[90] Hier kommt die Position von Dupuis derjenigen von Raimundo Panikkar sehr nahe.

[91] Dupuis, Unterwegs, 423–424. Das Adjektiv »neutral« wird in der revidierten Version des Buches hinzugefügt (Dupuis, La rencontre, 260).

[92] Siehe John Hick, The Rainbow of Faiths. Critical Dialogues on Religious Pluralism, London 1995, 17–18 (zitiert bei Dupuis, Unterwegs, 426–427).

ist, ist eigentlich nur die Aufbewahrung einer »hohen Christologie«, die aber mit dem konkreten Heil des Menschen nicht mehr in Verbindung gesetzt wird.

Dupuis setzt für die Ziehung seiner Grenze zwischen Inklusivismus und Pluralismus bei der Wahl der Christologie an: Die hohe Christologie, die Jesus Christus als Sohn Gottes anerkennt, beschreibt er als den *articulus stantis et cadentis* einer christlichen Religionstheologie: »Mit der Christologie ... steht und fällt der Rest!«[93]

Was nach Dupuis »christlich« bleiben muss, wenn man eine christliche Theologie der Religionen entfaltet, ist dementsprechend ausschließlich der Lehrsatz über die persönliche Identität Jesu als des ewigen Logos. Die Lehre über das Heil kommt hier nicht in Betracht. Dupuis will nicht zeigen, *wie* das Heil Gottes weiterhin auch in der Welt der Religionen konkret ein christliches Heil ist, sondern *dass* man bei einer hohen Christologie bleiben und zugleich die heilbringende Funktion der Weltreligionen anerkennen kann. Dank seiner trinitarischen Christologie zeigt Dupuis also, dass das Zentrum des Heils nicht etwa das »Reale« an sich eines John Hick ist, sondern der dreieinige Gott, dessen Handeln immer mit dem Christusgeschehen verbunden ist.

Die »Peripherie« des Heils bei Dupuis scheint aber der pluralistischen Sicht sehr nahe zu sein. Dupuis fügt Jesus Christus in eine pluralistische Vorstellung der erlösten Menschheit ein: Das ganz spezifische Christusereignis wird mit einem Heil verbunden, das zwar in Christus geschieht, aber konkret nicht durch ihn gekennzeichnet wird, sondern durch die vielfältigen Inhalte, die ihm die Weltreligionen geben. Die Soteriologie von Dupuis gleicht einer pluralistischen Soteriologie, die neben eine inklusivistische, hohe Christologie gestellt wird. Die Ausbildung eines pluralistischen Inklusivismus ist dann nur insofern möglich, als Dupuis die gegenseitige Beziehung von Christologie und Soteriologie abbaut, um eine inklusivistische Christologie und eine pluralistische Soteriologie aneinanderlegen zu können. Dies geschieht durch die Preisgabe einer Definition des Heils als inhaltlich und innerlich vom Christusgeschehen her bestimmt. Die Behauptung eines religiösen Pluralismus *de iure*, die Anerkennung jeder einzelnen Religion als eines einzigartigen Heilswegs geschieht auf Kosten der innerlichen Korrespondenz zwischen Jesus Christus und dem Menschen.

Dupuis besteht wie Rahner darauf, dass Jesus Christus wahrhaftig Gottes Sohn ist. Dupuis betont aber auch, wie etwa John Hick, dass der Heilsbegriff

[93] Dupuis, Unterwegs, 510.

neutral sein soll, damit er alle besonderen »Wege des Heils«, die die Weltreligionen vorschlagen, umfassen kann. Vielleicht hängt der Unterschied zwischen Inklusivismus und Pluralismus nicht nur von der Wahl einer hohen oder einer »niedrigen« Christologie ab, sondern auch von der Option für eine »hohe Soteriologie« oder für eine »niedrige«, für eine »christliche« und christologische Beschreibung des Heils oder für eine generelle, neutrale Definition des Lebens eines erlösten Menschen.

(Madeleine Wieger ist Maître de conférences an der Evangelisch-Theologischen Fakultät der Universität Straßburg)

ABSTRACT

Jacques Dupuis' «Christian theology of religious pluralism« is an attempt at combining loyalty to the Roman Catholic official dogma with an earnest acknowledgment of the divine origin of the world's religions. Dupuis calls it himself a «pluralistic inclusivism«. The present paper examines what he means by that designation through a comparison with Karl Rahner's theory of »anonymous Christianity«, which appears to be the starting point of Dupuis' theology. While Rahner's anthropological approach succeeds at connecting the salvation of every human being with the Christ event, Dupuis' »Trinitarian Christology« makes salvation depend on the action of the Logos as such and of the Spirit. In order to acknowledge the world's religions as »ways of salvation« in their very differences, Dupuis seems to disconnect the Christ event from what salvation looks like: his »pluralistic inclusivism« ultimately turns into superposition of a high inclusivist Christology with a pluralistic soteriology.

Komparative Theologie: Alternative zur pluralistischen Religionstheologie?

Moritz Fischer

Im folgenden Beitrag geht es um die Frage, ob die komparative Theologie mit ihrer Kritik an der pluralistischen Religionstheologie tatsächlich eine Alternative zum Pluralismuskonzept zu bieten hat. Dazu werden zwei aktuellere religionstheologische Lösungsmodelle vorgestellt. Ihre beiden Hauptvertreter in Deutschland stehen in einem internen religionstheologischen Gespräch, in das wir uns hiermit einschalten. Es handelt sich bei den beiden Positionen zum einen um die *komparative* Theologie. Sie wird in Deutschland durch *Klaus v. Stosch* (Paderborn) protegiert. Zum anderen geht es um die *pluralistische* Theologie der Religionen, vertreten durch *Perry Schmidt-Leukel* (Münster). Beide religionstheologische Richtungen stehen mit ihren Vorschlägen, die sie zur Lösung der Probleme einer Theologie der Religionen machen, miteinander im Gespräch. Besondere Brisanz erhält dieser Diskurs dadurch, dass die jüngere komparative Theologie sich explizit von der pluralistischen Religionstheologie abgrenzt. Einer ihrer Hauptvertreter, Perry Schmidt-Leukel, spricht hinsichtlich seiner Theorie von einer »pluralistischen *Hypothese* in der Theologie der Religionen«[1]. Er betont, dass er einen *spekulativen* Ansatz[2] verfolgt. Klaus v. Stosch dagegen fragt: Wie lässt sich *am Eigenen festhalten bei möglicher Anerkennung des Fremden*?[3] Er ist um die Bildung einer Theorie bemüht, die sich in *konkreten* Situationen bewährt. Er bezieht sich bei der Erläuterung seiner eigenen Konzep-

[1] Perry Schmidt-Leukel, Theologie der Religionen. Probleme, Optionen, Argumente, Neuried 1997, 64.
[2] Perry Schmidt-Leukel, Gott ohne Grenzen. Eine christliche und pluralistische Theologie der Religionen, Gütersloh 2005, 33.
[3] Siehe Klaus von Stosch, Komparative Theologie – Ein Ausweg aus dem Grunddilemma jeder Theologie der Religionen?, in: Zeitschrift für Katholische Theologie 124 (2002), 294–311, hier: 295.

tion mehrfach auf das Modell der pluralistischen Religionstheologie.[4] Im Zusammenhang der kritischen Analyse des Werkes Schmidt-Leukels moniert er, dass ihm dessen generalisierende Option, es gehe beim Pluralismus um die genuine »Wertschätzung religiöser Vielfalt«, bei weitem nicht genügt. Mit so einem Diktum bleibt Schmidt-Leukel in den Augen v. Stoschs an der Oberfläche. Er hingegen möchte religionstheologische Tiefenbohrungen anstellen. Hiermit erinnere ich kurz an eine sinngemäß gleiche Darstellung von Paul Knitter, die verdeutlicht, welches akute Problem die komparative Theologie von Anfang an zu erkennen meinte:

> »Die komparativen Theologen behaupteten, die pluralistischen Religionstheologen hätten nur einen theologischen Verkehrsstau geschaffen, in dem die verschiedenen Modelle sich gegenseitig anhupen, sich aber nie bewegen, und fordern deshalb unter ihren Gründervätern und Führern *Francis X. Clooney* und *James Fredericks* ein Moratorium für alle Formen von Religionstheologie.«[5]

Im Folgenden wird mit Blick auf das ursprüngliche Anliegen der komparativen Theologie danach gefragt, wie sie den »theologischen Verkehrsstau« aufzulösen gedenkt. Dabei soll die neuere komparativen Theologie, speziell der Entwurf eines ihrer deutschen Vertreter, Klaus von Stosch, im Mittelpunkt stehen, der sechs »methodische Grundsätze« stark macht und für den interreligiösen Dialog zu beherzigen fordert. Im zweiten Hauptteil geht es um die pluralistische Religionstheologie Perry Schmidt-Leukels und sein »Klassifikationsschema«. Abschließend werden im dritten Teil bleibende Unterschiede benannt, die diese beiden Modelle bei all ihrer Vergleichbarkeit auszeichnen.

[4] Vgl. von Stosch, Komparative Theologie – Grunddilemma, hier: 294–298; vgl. Ders., Glaubensverantwortung in doppelter Kontingenz. Untersuchung zur Verortung fundamentaler Theologie nach Wittgenstein, Regensburg 2001, 345ff., hier: 37–40; Ders., Das Problem der Kriterien als Gretchenfrage in jeder Theologie der Religionen. Untersuchungen zu ihrer philosophischen Begründbarkeit, in: Ders./ Perry Schmidt-Leukel (Hg.), Kriterien interreligiöser Urteilsbildung, Zürich 2005, 37–57, hier: 37–40.

[5] S. den Beitrag von P. Knitter in dieser Nummer, S. 24f. Englisches Original, aus dem dieser Abschnitt entnommen und übersetzt wurde: »The most vigorous and, I must admit, the most successful *counter-proposal* (Gegenentwurf) to a *pluralistic theology of religions* has come from what has become the new movement of *Comparative Theology*. Claiming that the pluralists have created nothing but a theological traffic jam in which the various models just keep beeping their horns at each other but never move, the comparativists, under the founding leadership of *Francis X. Clooney* and *James Fredericks*, have called for a moratorium on all theologies of religions. Their battle-cry, as it were, has become ›*Just do it!*‹ Just jump into the study of, or the dialogue with, other religions without having to have all your theological models nicely assembled. Let theology follow dialogue; let theory follow practice. Pluralist theologians, the comparativists claim, resemble arm-chair anthropologists who draw sweeping claims about other cultures without ever having visited them.«

1. Komparative Theologie (F. X. Clooney/J. Fredericks/N. Hintersteiner)

Wenden wir uns zunächst der beispielhaften Erkenntnis eines der Protagonisten der nordamerikanischen Komparativen Theologie zu. Es handelt sich hier um den Jesuiten *Francis X. Clooney*. Er beschreibt in »*Hindu God, Christian God*«, wie er als katholischer Theologe durch sein partizipierendes Mitleben in Hindugemeinschaften Südindiens zu der Erkenntnis kam, dass und wie das religionstheologische komparative Modell praktikabel sei:

> »I also wanted to find a way to say, why it is good – and compelling – for believing theologians to persist in thinking at that edge where faiths encounter one another. (...) I attempted as best I could to enter the world of Tiruvaymoli, dwell there and then find my way back to Christian insight.«[6]

Bei *Tiruvaymoli* handelt es sich um das mehrere tausend Seiten starke epische Werk des südindischen Dichters und Theologen *Satakopan* aus dem 18. Jahrhundert. Clooney versuchte, sich dieses literarische Meisterwerk mitten im orientalischen Ambiente und Kontext seiner Entstehung anzueignen. Clooney wollte sich einer *transreligiösen Spannung* aussetzen, die ästhetisch-performativ evoziert wird.[7] Diese besteht für ihn darin, als Christ, ausdrücklich von der eigenen Tradition herkommend, möglichst tiefe Glaubenserfahrungen mittels der hinduistischen religiösen Tradition zu machen. Es ist ihm wichtig, das zu tun, ohne sein rational-theologisches, auf Differenzierung ausgerichtetes *Denken* von der fremden *Erfahrung* Gottes her dominieren zu lassen. Um Komparative Theologie zu praktizieren, ist es notwendig, »auf angenehme Präsuppositionen und auf ›eingefahrene Schnellstraßen zur Wahrheit zu verzichten‹[8] (Clooney)«.[9] Es geht um »das Betreiben konstruktiver Theologie durch und im Anschluss an den Vergleich«.[10] *James Fredericks*, Religionswissenschaftler und Buddhismusfor-

[6] Vgl. Francis X. Clooney, Hindu God, Christian God. How Reason Helps Break Down the Boundaries Between Religions, Oxford 2001, v-vi.

[7] Meisterhaft tut Clooney dies in einem aktuellen Aufsatz, in dem er das alttestamentliche »Hohelied der Liebe« in einen Dialog mit »Tiruvaymoli« verwickelt: »By the Power of her Word: Absence, Memory, and Speech in the *Song of Songs* and a Hindu Mystical Text, in: Exchange 41 (3/2012), 213–244.

[8] Francis X. Clooney, Theology after Vedanta. An Experiment in Comparative Theology, Albany 1993, 167.

[9] Norbert Hintersteiner, Interkulturelle Übersetzung in religiöser Mehrsprachigkeit. Reflexionen zu Ort und Ansatz der Komparativen Theologie, in: Reinhold Bernhardt/Klaus von Stosch (Hg.), Komparative Theologie. Interreligiöse Vergleiche als Weg der Religionstheologie, Zürich 2009, 99–120, 109.

[10] Francis X. Clooney, Comparative religion: A Review of Recent Books (1989–1995), in: Theological Studies 56 (1995), 521–550, 522, deutsche Übersetzung nach: Schmidt-Leukel, Gott ohne Grenzen, 89 mit Anm. 94.

scher, macht diesbezüglich folgende Feststellung, die sich wie eine Ergänzung zu Clooneys Überlegungen liest:

> »Doing theology comparatively means crossing over into the world of another religious believer and learning the truths that animate the life of that believer. Doing theology comparatively also means coming back to Christianity transformed by these truths, now able to ask new questions about Christian faith and its meaning for today.«[11]

2. Neuere Komparative Theologie (Klaus von Stosch)[12]

2.1 Die Kritik der komparativen Theologie an der pluralistischen Theologie der Religionen

Die neuere *komparative Theologie* wurde im deutschsprachigen Raum neben Norbert Hintersteiner vor allem von Klaus v. Stosch als Programm konstituiert, das die immer wieder laut werdende Kritik an der *pluralistischen* Religionstheologie zu präzisieren versucht.[13] »Komparative Theologie als Herausforderung für die Theologie des 21. Jahrhunderts«[14] betitelte Klaus v. Stosch einen programmatischen Aufsatz.[15] Mit seiner »Vision institutioneller Verfasstheit Komparativer Theologie« fordert er deren »Verankerung im weiten Fächerkanon ausdifferenzierter Theologie, was andersreligiöse, konfessionelle, universitäre und gesellschaftliche Zusammenhänge betrifft«.[16] Er verbindet mit seiner Suche nach einem »befriedigenden Grundmodell für die Theologie der Religionen«[17] die Evaluation *jeder* Art von Religionstheologie und die Suche nach einem »Ausweg aus

[11] James Fredericks, Buddhists and Christians. Through Comparative Theology to a New Solidarity, Maryknoll 2004, xii.

[12] Von Stosch, Komparative Theologie – Grunddilemma, 294–311.

[13] Die deutsche Diskussion wird maßgeblich geprägt durch das *Zentrum für Komparative Theologie und Kulturwissenschaft* (ZeKK) an der Universität Paderborn und den dort hauptverantwortlichen katholischen Fundamentaltheologen Klaus von Stosch. Das Prinzip der Komparativen Theologie stellt er in folgedendem Beitrag prägnant dar: Komparative Theologie als Hauptaufgabe der Theologie der Zukunft, in: Reinhold Bernhardt/Ders. (Hg.), Komparative Theologie. Interreligiöse Vergleiche als Weg der Religionstheologie, Zürich 2009, 15–33.

[14] Klaus von Stosch, Komparative Theologie als Herausforderung, in: Zeitschrift für katholische Theologie 130 (2008), 401–422.

[15] Als weiterer deutscher Dogmatiker erläutert Aufgabenstellung und Geschichte der komparativen Theologie: Hintersteiner, Interkulturelle Übersetzung in religiöser Mehrsprachigkeit, 99–120.

[16] Vgl. von Stosch, Komparative Theologie als Hauptaufgabe, 29–33.

[17] Von Stosch, Komparative Theologie – Grunddilemma, 294.

dem Grunddilemma jeder Theologie der Religionen«[18]. Er hebt nicht nur bestimmte Schwachstellen der drei Optionen des religionstheologischen Dreierschemas (Inklusivismus – Exklusivismus – Pluralismus) hervor. Seine Kritik gilt der pluralistischen Religionstheologie in ihrer Gänze. Diese gilt es konzeptionell neu zu formulieren. Damit steht er implizit in Abhängigkeit zur Argumentationskette Schmidt-Leukels, gerade indem er dort erkennbare Schwächen vermeiden möchte. In der verlängerten Traditionslinie Karl Rahners[19] stehend sucht v. Stosch eine alternative Antwort auf Schmidt-Leukels religionstheologische Grundfrage nach der Deutung »der *Welt der Religionen*[20] im Licht der christlichen Offenbarung«.[21] Er versteht sich als Apologet des christlichen Glaubens und kritisiert am oben genannten »Dreierschema«, dass es in das unlösbare Dilemma verstrickt sei, »zwei miteinander in Widerstreit liegende Intentionen durch Theoriebildung zu versöhnen... Zum einen geht es ihr [der Theologie der Religionen; M.F.] darum, als konfessorische Theologie dem eigenen Wahrheits- und Unbedingtheitsanspruch treu zu bleiben, der sich für Christen vor allem im Bekenntnis zu Jesus von Nazareth als dem Christus, Erlöser und Sohn Gottes, festmacht. Zum anderen strebt sie danach, Andersgläubige in ihrer Andersheit zumindest nicht negativ einschätzen zu müssen«.[22]

Die Selbstmitteilung Gottes in Jesus Christus darf demnach nicht relativiert werden. Sie ist mehr als eine Offenbarung unter vielen anderen gleichwertigen. Von Stosch wirft dem *Pluralismus* vor, dass mit dieser Variante das genuine Glaubensgut nicht nur relativiert, sondern aufgegeben wird. Die Religionspluralisten können seiner Meinung nach die Selbstmitteilung Gottes in Jesus Christus, diesen Grundzug des Christentums zur Selbstdifferenz, nicht einholen. Sie haben kein Sensorium für eine religionstheologisch fruchtbar zu machende »Offenheit für Differenz«.[23] Von Stosch selbst beansprucht, Wunden, die aus den Erfahrungen von Religionsdifferenz resultieren, möglichst offen zu halten, damit sie sauber geschlossen werden können, bevor sie heilen können. Den »Ande-

[18] Sigrid Rettenbacher, Theologie der Religionen und komparative Theologie – Alternative oder Ergänzung? Die Auseinandersetzung zwischen Perry Schmidt-Leukel und Klaus von Stosch um die Religionstheologie, in: ZMR 89 (2005), 186f.

[19] Karl Rahner, Das Christentum und die nichtchristlichen Religionen, in: Ders., Schriften zur Theologie Bd. V., Einsiedeln 1964², 136–158.

[20] Der Titel seiner neuesten Veröffentlichung nimmt interessanterweise den Begriff Schmidt-Leukels auf: Klaus von Stosch, Komparative Theologie als Wegweiser in der *Welt der Religionen*, Paderborn 2012.

[21] Schmidt-Leukel, Gott ohne Grenzen, 33.

[22] Von Stosch, Komparative Theologie – Grunddilemma, 294f.

[23] Von Stosch, Komparative Theologie – Grunddilemma, 295.

ren als den Anderen anzuerkennen«, kann auch bedeuten, zu leiden und durch einen Prozess hindurch zur Wertschätzung zu kommen. »Die begriffliche Möglichkeit der Anerkennung des Anderen darf auch die Möglichkeit der Wertschätzung des religiösen Glaubens des Anderen in dessen Andersheit nicht ausschließen.«[24]

2.2 Das *Sprachspielkonzept* Ludwig Wittgensteins und die komparative Theologie

Die komparative Theologie eines v. Stosch wird in entscheidender, fundamentaltheologischer Weise durch die Spätphilosophie Ludwig Wittgensteins (1889–1951) geprägt.[25] Mit dessen Denken setzt sich v. Stosch in seiner Promotionsschrift auseinander. Von Stosch konzentriert sich auf die Auseinandersetzung des Philosophen mit Theologie und *religiösem Glauben*: Aus Wittgensteins »Sicht müsste die Bemühung um religionstheologische Modellbildungen durch eine *komparative* Theologie ersetzt werden, die konkrete Religionen oder Weltbilder hinsichtlich genau bestimmter Probleme vergleicht«.[26] Von Stosch sagt, man kann die Bedeutung der Glaubenssätze anderer Religionen nur aus deren jeweiliger *sprachspielpraxeologischer* Verwurzelung heraus verstehen. Lebenspraxis und Sprachspiel sind verwoben. Daher kann man nur »im Mitspielen der Sprachspiele des Anderen … verstehen, welche Regeln bei ihm in Geltung sind«.[27] Mit (dem späten) Wittgenstein geht es ständig um »Entscheidungen«, Falsifizierung, fallible und reversible Kriterien, Verifizierung, die Frage nach wahr/falsch, die Anerkennung der Andersartigkeit im Unterschied zur Negation seiner religiösen Daseinsberechtigung und der Konsequenzen, die daraus zu ziehen sind. Von Stosch bezeichnet die »Theologie der Religionen als Bewährungsfeld einer Theologie nach Wittgenstein«.[28] Er hält die traditionelle Version der *Theologie der Religionen* für überflüssig, da sie sich mehr um die Bildung eines geeigneten theologischen *Modells* als um den konkreten, mikrologisch nachzuvollziehenden *Einzelfall* bemüht.[29]

[24] Vgl. von Stosch, Komparative Theologie als Herausforderung, 420.
[25] Vgl. Ludwig Wittgenstein, Philosophische Untersuchungen, Frankfurt/M. 1975.
[26] Von Stosch, Komparative Theologie – Grunddilemma, 301, 307.
[27] Vgl. von Stosch, Komparative Theologie – Grunddilemma, 304f.
[28] Vgl. von Stosch, Glaubensverantwortung in doppelter Kontingenz, 320ff.
[29] Rettenbacher, Theologie der Religionen und komparative Theologie, 188ff.

2.3 Methodische Grundsätze der komparativen Theologie nach *Klaus v. Stosch*

Komparative Theologie funktioniert nach sechs *methodischen Grundsätzen:*[30]

1. *Komparative Theologie ist wesentlich charakterisiert durch ihre mikrologische Vorgehensweise bzw. durch ihre Hinwendung zum Einzelfall*: Sie ist erkennbar in ihrer Konzentration auf den interreligiösen Vergleich spezifischer theologischer Texte und Konzeptionen, Bekenntnisse, klar umgrenzter Glaubensinhalte und konkreter Rituale. Diese sind in eindeutigen Kontexten zu eruieren und historisch zu bestimmen.[31]
2. *Sie geht von zentralen Fragestellungen der Menschen unserer Zeit aus.* Bevor sie schnelle Antworten gibt, soll sie zunächst einmal aus den verschiedenen religiösen wie nichtreligiösen Traditionen heraus *Fragen* und *Probleme* formulieren.[32]
3. *Sie geht vom Eigenen aus, bemüht sich aber, den Blick auf das Eigene vom Anderen aus in die eigene Theologie einzubeziehen. Dabei räumt sie auch dem Anderen das Recht ein, meine Perspektiven in seine Theologie zu integrieren*: Das Sich-Hineinversetzen in die theologischen Probleme der Anderen ist äußerst schwierig. Die Konsequenzen sind nicht vorhersehbar, bis dahin, dass eine aus transreligiösen Prozessen heraus resultierende Konversion das Ergebnis der Auseinandersetzung ist. Der Diskurs ist prozesshaft, ergebnisoffen.[33]
4. *Sie braucht die Distanz des Dritten*: Von Stosch erläutert, was er mit der »Distanz des Dritten« oder der so genannten »3. Position« meint: »Der Dritte … muss der konkrete Dritte sein, der als Kontrollinstanz auf den Dialog der zwei Ersten zu schauen vermag …« Er kann »ein Atheist oder Agnostiker sein – je nach Gesprächslage ist aber auch ein Angehöriger einer dritten religiösen Tradition hinzuzuziehen, wenn dieser in der behandelten Frage eine hinreichend verschiedene Grundidee hat«…
5. *Komparative Theologie braucht immer wieder die Rückbesinnung auf religiöse Praxis:* Das heißt, ein wesentlicher Teil der Methodik besteht darin,

[30] Vgl. von Stosch, Komparative Theologie als Hauptaufgabe, 19–28.
[31] Vgl. von Stosch, Komparative Theologie als Hauptaufgabe, 19–28.
[32] Vgl. von Stosch, Komparative Theologie als Hauptaufgabe, 22.
[33] Vgl. von Stosch, Komparative Theologie als Hauptaufgabe, 23ff.

den Zusammenhang zwischen der regulativ-expressiven und der enzyklopädischen Ebene religiöser Überzeugungen zu klären. Es handelt sich nicht um Theologie *für* den Dialog, sondern *aus* dem Dialog heraus.[34]

6. *Komparative Theologie ist sich aufgrund der dialogischen Offenheit ... der eigenen Verwundbarkeit und der Reversibilität bzw. der Fallibilität der eigenen Urteile bewusst*: Die christologisch begründbare *Verwundbarkeit* hängt in ihrem Kern mit der Sprachspielgebundenheit allen Sprechens zusammen. Im Blick auf den interreligiösen Diskurs bedeutet das konkret: Wir rechnen mit dem Missverstehen, aber auch mit dem Erfolg, der sich aus wechselseitiger Empathie und dem nötigen Vertrauensvorschuss speist.[35]

2.4 Zusammenfassung zur neueren komparativen Theologie

Von Stosch betont bei seinen Erläuterungen: »Komparative Theologie ist also erkennbar an ihrer Konzentration auf den Vergleich genau spezifizierter theologischer, literarischer oder konfessorischer Texte, konkreter Rituale, klar umgrenzter Glaubensinhalte und bestimmter theologischer Konzeptionen, jeweils in konkreten Kontexten und historisch genau bestimmten Zeiträumen. Jeder Vergleichsakt folgt dabei seiner eigenen internen Logik und offenbart gerade durch diese Bindung ans Konkrete interessante Einsichten für die Theologie insgesamt. ... [E]s ist bei einer mikrologischen Vorgehensweise unvermeidlich, auf das gesamte Weltbild zu reflektieren, das durch einen konkreten Text oder eine konkrete Dialogerfahrung fassbar wird.«[36] Das ist die Antwort auf die Retourkutsche der Pluralisten, wenn sie verlangen: »Macht es doch einfacher!« Von Stosch betont zudem: »Der vielfältige, lebendige Dialog mit spezifischen Traditionen, Personen und Theologien ist Grundlage und Korrektiv komparativer Theologie.«[37]

[34] Vgl. von Stosch, Komparative Theologie als Hauptaufgabe, 26ff.
[35] Vgl. von Stosch, Komparative Theologie als Hauptaufgabe, 28.
[36] Von Stosch, Komparative Theologie als Hauptaufgabe, 21.
[37] Von Stosch, Komparative Theologie als Hauptaufgabe, 27.

3. Klassifikationsschema pluralistischer Religionstheologie (Perry Schmidt-Leukel)

3.1 Das Prinzip der pluralistischen Religionstheologie und Perry Schmidt-Leukel

Die »pluralistische Religionstheologie«[38] und ihr Programm wurden in den achtziger Jahren des 20. Jahrhunderts von John Hick[39] und Paul F. Knitter[40] entwickelt.[41] Sie wurde dann von Perry Schmidt-Leukel[42] einer Revision unterzogen.[43] .

Die pluralistische Religionstheologie Schmidt-Leukels betont mit Blick auf die Weltreligionen deren »prinzipielle Gleichwertigkeit hinsichtlich der in ihnen vermittelten heilshaften Gotteserkenntnis«[44]. Die damit verbundene *Anerkennung des Anderen als Anderer* bedeutet aber nicht, dass alle Religionen bzw. ihre Lehren und Praktiken gleich wären oder dass alle Religionen von vorneherein als theologisch gleichwertig einzustufen sind. Die Möglichkeit bleibt bestehen, dass für einen *bestimmten* Menschen eine gegebene Religion tatsächlich einen Heilsweg eröffnet, eine andere gegebene Religion aber nicht. Ebenso können manche Religionen oder eine bestimmte religiöse Praxis sich eher als destruktiv und nicht heilsvermittelnd zeigen. Schmidt-Leukel betont, dass religiöser Pluralismus nicht mit *Relativismus* gleichzusetzen ist. Er wendet sich gegen ein *funktionalistisches* Theologieverständnis und hält am *spekulativen* Anliegen zur Behandlung der Wahrheitsfrage fest.[45] Aufgabe ist, »[d]ie Welt der Religionen im Licht der *christlichen* Offenbarung zu deuten«.[46] Das impliziert, sich den An-

[38] Vgl. den Überblick zur jüngeren Diskussion bei Ulrich Schoen, Denkwege auf dem Gebiet der Theologie der Religionen, in: Verkündigung und Forschung 34 (1989), 61–87; Perry Schmidt-Leukel, Das pluralistische Modell in der Theologie der Religionen. Ein Literaturbericht, in: Theologische Revue 89 (1993), 353–364; Reinhold Bernhardt, Zur Diskussion um die Pluralistische Theologie der Religion, in: Ökumenische Rundschau 43 (1994), 172–185; Paul F. Knitter, Introducing Theologies of Religions, Maryknoll/New York 2002.

[39] John Hick/Paul F. Knitter (Hg.), The Myth of Christian Uniqueness. Toward a Pluralistic Theology of Religion, Maryknoll/New York 1987.

[40] Paul F. Knitter, Horizonte der Befreiung. Auf dem Weg zu einer pluralistischen Theologie der Religionen, Paderborn 1997.

[41] Vgl. Christian Danz, Einführung in die Theologie der Religionen, Wien 2005, 31ff.

[42] Perry Schmidt-Leukel, Theologie der Religionen. Probleme, Optionen, Argumente, Neuried 1997.

[43] Vgl. Ulrich Winkler, Perry Schmidt-Leukels christliche pluralistische Religionstheologie, in: SaThZ 10 (2006), 290–318.

[44] Schmidt-Leukel, Theologie der Religionen, 237.

[45] Vgl. Schmidt-Leukel, Gott ohne Grenzen, 33.

[46] Vgl. Schmidt-Leukel, Gott ohne Grenzen, 33.

sprüchen dieser Religionen zu stellen. Umgekehrt fragt sich: »Wie beurteilt das Christentum sich selbst angesichts anderer Religionen?«[47] Diese Operation lässt sich nicht durchführen, ohne eine theoretische Beschränkung auf wenige Grundoptionen vorzunehmen: Er nennt neben der des *Atheismus* das »Dreierschema« (*Exklusivismus*, *Inklusivismus* und *Pluralismus*).

3.2 Die Bedeutung des Dreierschemas in der pluralistischen Religionstheologie

3.2.1 Der christliche *Exklusivismus*

Dieser beinhaltet die Ansicht, dass der christliche Glaube der einzig richtige sei, der alleine dem Wahrheitsanspruch genügt. Theologiegeschichtlich lässt sich dieses Modell am altkirchlichen Satz »*extra ecclesiam nulla salus*« festmachen. Eine mögliche Definition lautet:

Exklusivismus: Andere »Religionen« haben keinen Anteil an der Wahrheit und ihnen kommt keine heilsentscheidende Qualität zu.[48] Als theologische Konsequenz ergibt sich ferner, dass der *radikale* Exklusivismus den *allgemeinen* Heilswillen Gottes bestreiten muss.[49]

3.2.2 Der christliche *Inklusivismus*

Dieser erkennt an, dass auch in anderen »Religionen« Heil und Wahrheit vorhanden sind:

Inklusivismus: Die religiöse Heilsfunktion kommt primär in der eigenen Religion zur vollen Bedeutung und Wirkung. Heil und Wahrheit sind aber auch in anderen Religionen vorhanden.

[47] Winkler, Perry Schmidt-Leukel, 291.

[48] Vgl. Reinhold Bernhardt, Der Absolutheitsanspruch des Christentums. Von der Aufklärung bis zur Pluralistischen Religionstheologie, Gütersloh 1990; Ders., Die pluralistische Religionstheologie. Relativitätsschock für den christlichen Glauben?, in: Wolfram Weiße (Hg.), Wahrheit und Dialog. Religionspädagogik in einer multikulturellen Gesellschaft 4, Münster u. a. 2002, 19–34; John Hick u. a., Four Views on Salvation in a Pluralistic World, Grand Rapids 1996. Als inneren Widerspruch dieser Option stellt Schmidt-Leukel heraus, dass nichtchristliche Religionen wahrgenommen, aber nicht anerkannt würden. Da man mit den theologischen Vertretern des *Exklusivismus* nicht diskutieren könne, da sie andere Konzepte unter Häresieverdacht stellen, scheidet diese Variante für ihn aus logischen Gründen aus.

[49] Die Theologie Karl Barths mit ihrer grundsätzlichen Religionskritik fällt in die exklusivistische Kategorie.

Als logische Konsequenz ergibt sich, dass die *eigene* christliche Religion daher als allen anderen überlegen gilt. Beim *Inklusivismus* benennt Schmidt-Leukel folgenden Widerspruch: Die Spannung zwischen dem Christentum und den anderen Religionen wird nicht in ihrem positiven Potential wahrgenommen, sondern negativ bewertet: Sie zielt »auf eine Auflösung dieser Differenz ...«[50] Ferner moniert er, dass die Behauptung außerchristlicher Heilsverwirklichung im Widerspruch zur Behauptung ihrer inferioren Offenbarungsqualität stehe.

3.2.3 Die Unbrauchbarkeit des Exklusivismus und des Inklusivismus

Schmidt-Leukel resümiert: *Exklusivismus* und *Inklusivismus* sind weder jeder für sich genommen noch in ihrem direkten Zusammenhang brauchbar: Der erste hat keinen höheren Erklärungswert, der zweite ist in sich inkonsistent. Beide Konzeptionen stimmen zudem in der relativierenden Bewertung der Wahrheitsansprüche anderer Religionen überein.

3.2.4 Religionstheologischer Pluralismus im Zusammenhang Exklusivismus/Inklusivismus

Mittels der Einbeziehung des *Pluralismus* als dritter religionstheologischer Kategorie erweitert er das unzureichende Paar aus Exklusivismus und Inklusivismus zu einem Dreierschema. Der Kerngedanke der pluralistischen Religionstheologie lässt sich auf die einfache Formel reduzieren: *Anerkennung des Anderen als Anderer bei prinzipieller Gleichwertigkeit der heilshaften Gotteserkenntnis, die in seiner Religion vermittelt wird.* Schmidt-Leukel geht es darum zu erklären, welche Logik dieser Anerkennung des Anderen als Anderer vorauszusetzen ist. Sie erlangt ihre Bedeutung erst im Zusammenhang dieses *Klassifikationsschemas* und seiner drei (bzw. bei Einbeziehung des Atheismus: vier) religionstheologischen *Grundmodelle.* Diese genügen, um kriteriologisch sämtliche möglichen interreligiösen Verhältnisbestimmungen zu treffen, d. h., Pluralismus ist nur unter Anerkennung der Gesamtlogik des Systems zu verstehen. Klassifiziert werden nicht Religionen als solche. Religiöse *Systeme* werden hinsichtlich bestimmter *in Teilmengen des Ganzen vorhandener Prädikationen oder Eigenschaften* im Blick auf das Verhältnis bestimmt, das zu den Teilmengen anderer Religionen besteht. Prinzipiell

[50] Winkler, Perry Schmidt-Leukel, 294.

geht der Pluralismus davon aus, dass Heil und Wahrheit in allen Weltreligionen in *gleichwertiger* Weise vermittelt werden. Der Pluralismus darf nicht auf die Radikalposition fixiert werden, laut der *in allen* Religionen eine prinzipiell gleichrangige Realisation heilshafter *Elemente* anzutreffen ist. *Dem Pluralismus geht es in erster Linie um eine genuine Wertschätzung religiöser Vielfalt.*[51]

3.3 Die innere Logik des Dreierschemas[52]

Was hält diese Konstruktion des religionstheologischen *pluralistischen* Modells für Schmidt-Leukel zusammen?[53] Er geht davon aus, Kriterien zur Verfügung zu stellen, mit denen sich die *Geltungsansprüche unterschiedlicher Religionen und die Frage, in welchem mengenmäßigen Verhältnis diese zueinander stehen, untersuchen lassen.*[54] Mit den Teilmengen, die aus bestimmten Eigenschaften oder Prädikationen zusammengesetzt sind, meint er thematisch abgrenzbare Fragestellungen. Als Beispiele führt er an: »authentischer Gottesdienst, Offenbarung, Heil, Wahrheit etc.«[55]

3.4 Evaluation des Klassifikationsschemas von Perry Schmidt-Leukel[56]

Mit der Konstruktion des Dreierschemas übersieht Schmidt-Leukel einige Fragen:

1. Es scheint, dass die beiden erstgenannten Modelle des Exklusivismus und des Inklusivismus jeweils in gewisser überzeichnender Weise beschrieben werden, um den *präjudizierten Pluralismus* angesichts ihrer jeweiligen Mängel kontrastreich hervortreten zu lassen.[57]
2. Bei der Darstellung des so genannten *Exklusivismus* und bei der des so genannten *Inklusivismus* handelt es sich um Fremdbeschreibungen und -zuweisungen. Keiner der damit gemeinten Vertreter bezeichnet sich selbst so. Die

[51] Vgl. Schmidt-Leukel, Gott ohne Grenzen, 71.
[52] Vgl. Das Ergebnis des Kapitels mit der Überschrift: »Eine logisch umfassende Klassifikation«, in: Schmidt-Leukel, Gott ohne Grenzen, 64–71.
[53] Vgl. Schmidt-Leukel, Theologie der Religionen, 76ff.
[54] Danz, Theologie der Religionen, 182.
[55] Danz, Theologie der Religionen, 83.
[56] Vgl. das Ergebnis des Kapitels mit der Überschrift: »Eine logisch umfassende Klassifikation«, in: Schmidt-Leukel, Gott ohne Grenzen, 64–71.
[57] Vgl. Gerd Neuhaus, Kein Weltfrieden ohne christlichen Absolutheitsanspruch. Eine religionstheologische Auseinandersetzung mit Hans Küngs »Projekt Weltethos«, in: QD 175 (1999), 86.

Aussagen »über« diese religiösen Systeme stehen folglich in keinem direkten Verhältnis zu dem beschriebenen Sachverhalt.

3. Mit welcher argumentativen Begründung nehmen die Vertreter der pluralistischen Theologie eine *Metaperspektive* (Vogelperspektive) ein? Welchen heuristischen Wert hätte sie, gesetzt den Fall, dass man sie einnehmen kann, für die, welche das nicht können?
4. Das Vorgehen eines Pluralismus, der auf diese Weise systemtheoretisch konstruiert wird, neigt manchmal leider zur Vereinfachung, zur Generalisierung und zum Formalismus. Kritiker wie *Andreas Grünschloß* (Göttingen) halten Schmidt-Leukel zudem vor, dass er zu Zuschreibungen komme, die letztlich doch aus der Perspektive der je eigenen Religion vorgenommen würden. Ferner werde zwischen der *Element- und Systemebene* nicht klar getrennt.[58]
5. Auffällig ist der hohe Anspruch, unter den *Schmidt-Leukel* sein Programm der *pluralistischen Religionstheologie* stellt: Es geht ihm um nichts anderes, als um die »Prolegomena zu einer künftigen Welttheologie«.[59]

4. Fazit: Komparative Theologie als lohnende Herausforderung für den Religionspluralismus

Sigrid Rettenbacher[60] (Salzburg) schlussfolgert in einem Beitrag, in dem sie die beiden hier diskutierten Modelle vergleicht[61]: »Komparative Theologie und Religionstheologie sollten nicht in einem Konkurrenzverhältnis stehen, sondern – wie Theorie und Praxis auch – einander ergänzen. Eine kommt ohne die andere nicht aus, wenn beide glaubhaft bleiben wollen.«[62] Ihr ist hier nur teilweise zuzustimmen. Die wichtigen Erkenntnisse, die Perry Schmidt-Leukel seit Jahren unermüdlich vorträgt, sind inzwischen ohne die Kritik, die Ergänzungen und die substantielle Weiterarbeit seitens Klaus v. Stoschs nicht mehr gewinnbringend

[58] Andreas Grünschloß, Der eigene und der fremde Glaube. Studien zur Struktur interreligiöser Fremdwahrnehmung in Islam, Hinduismus, Buddhismus und Christentum, Tübingen 1999, 20.

[59] Vgl. Perry Schmidt-Leukel, Pluralistische Religionstheologie: Warum und wozu?, in: Ökumenische Rundschau 49 (2000), 259–272, hier: 269. Viel bescheidener und konstruktiver scheint mir die Diskussion, die hinsichtlich des Gedankens einer Welt-Theologie durch Wilfred Cantwell Smith eröffnet und von Andreas Grünschloß erschlossen wird, in: Andreas Grünschloß, Religionswissenschaft als Welt-Theologie, Göttingen 1994.

[60] Sigrid Rettenbacher, katholische Theologin, die als Habilitationsprojekt bearbeitet: »Theologie der Religionen in postkolonialer Perspektive. Erkenntnistheoretische und ekklesiologische Reflexionen«.

[61] Rettenbacher, Theologie der Religionen und komparative Theologie, 181–194.

[62] Rettenbacher, Theologie der Religionen und komparative Theologie, 192.

zu rezipieren. Umgekehrt lässt sich nachlesen, dass Schmidt-Leukel selbst die bisherigen Ergebnisse der komparativen Theologie ernst nimmt und sich davon anregen lässt.[63] Zusammenfassend werden beide Modelle mit Blick auf spezifische Merkmale wie *Schwerpunkte*, *Schwachpunkte* und *Leistungsfähigkeit* rekapituliert:

4.1 Resümee zur pluralistischen Theologie angesichts komparativer Theologie

Diese »Konstruktion« des religionspluralistischen Klassifikationsschemas blockiert mit ihrer Statik (Verkehrsstau?) das Augenmerk des Beobachters hinsichtlich der Dynamik, zu der Religionen fähig sind. Diese entfaltet sich gerade, wenn sie unter hohem Außendruck stehen bzw. innere Anpassungen an veränderte Bedingungen erforderlich sind. Ein Vorteil komparativer Theologie ist darin erkennbar, dass sich Hintersteiner mit Clooney dieser Dynamik durchaus bewusst sind, wenn sie in gut religionswissenschaftlicher Manier insistieren, dass »ein zentraler Punkt der komparativen theologischen Praxis ist, Details anstelle von ganzen religiösen Systemen zu untersuchen«.[64] Vertreter der Komparativen Theologie wie von Stosch, Clooney, Fredericks u. a. vermeiden es, eine in sich konsistente Theologie der Religionen zu konstruieren.

- Der *Schwerpunkt* jedes Pluralismusmodells liegt auf der *Normativität*. Der religionstheologischen Kriteriologie kommt in ihrer Konzentration auf die System- bzw. Makroebene absolute Gültigkeit zu.
- Das Verhältnis zwischen Exklusivismus und Inklusivismus stellt sich als unversöhnbarer Gegensatz dar.
- Der *Schwachpunkt* der pluralistischen Religionstheologie besteht in ihrem hohen Abstraktionsniveau auf Kosten der Wahrnehmung konkreter religiöser Prozesse unter Abschwächung der (christlichen) Identitätskonstruktion.
- Ihre *Leistungsfähigkeit* liegt in ihrem Potenzial der systemischen Erfassung sämtlicher möglicher religiöser Formen in ihrem Zusammenhang.

[63] Vgl. Perry Schmidt-Leukel, Limits and Prospects of Comparative Theology, in: Norbert Hintersteiner (Hg.), Naming and Thinking God in Europe Today. Theology in Global Dialogue, Amsterdam/New York 2007, 493–505; Ders., Gott ohne Grenzen, 87ff.

[64] Hintersteiner, Interkulturelle Übersetzung in religiöser Mehrsprachigkeit, 99–120, 115.

4.2 Resümee zur komparativen Theologie angesichts pluralistischer Theologie

Dass der Abstand zwischen Komparativer Theologie und Pluralismus doch größer ist, als die oben erwähnte Sigrid Rettenbacher feststellt, erweist sich in diesem wesentlichen Punkt, den von Stosch an der pluralistischen Religionstheologie benennt: Er moniert, dass bei den Pluralisten die Christologie »notwendigerweise« depotenziert und eingeebnet werde und dass man daher als Pluralist nicht mehr adäquat am »christlichen Wahrheitsanspruch« festhalten könne.[65] Durch die Reinterpretation der christlichen Superioritätselemente sei der Pluralismus unfähig, das genuin christliche Selbstverständnis adäquat einzuholen.[66]

- Der *Schwerpunkt* komparativer Theologie liegt auf dem *deskriptiven Vorgehen*, der Analyse der Mikroebene und der Suche nach einem Zugang zu religiösen Systemen mittels der Interpretation ihrer »Sprachspiel«-Praxis. Ihre Stärke besteht in ihrer Aufmerksamkeit gegenüber der religiösen *Dynamik*, die es abzulesen gilt an den Selbstaussagen, die jenseits der *Fremdfixierung* liegt, die gelegentlich an Religionen herangetragen wird, wenn diese auf bestimmte Lehraussagen festgelegt werden.
- Das Verhältnis zwischen Exklusivismus und Inklusivismus weist eine Tendenz zur Konvergenz auf.
- Der *Schwachpunkt* komparativer Theologie ist in ihrer mangelnden Offenlegung der Verankerung der Analysemethodik in christlich-theologischer Tradition zugunsten des Rückgriffes auf philosophische Kategorien zu sehen.
- Ihre *Leistungsfähigkeit*: liegt in ihrem Potenzial zur Neuformulierung der religionstheologischen Frage jenseits des systemisch konstruierten Dreierschemas, in ihrer Konzentration auf den Einzelfall und der Entwicklung einer konkrete Methodik.

4.3 Abschließendes Resümee und Ausblick

Da Schmidt-Leukel und von Stosch sich in einem offenen Diskurs austauschen, ist es nur fair, einen Blick auf die Entgegnungen zu tun, die der Erstgenannte in

[65] Von Stosch, Komparative Theologie – Grunddilemma, 297f.
[66] Ebd.

seinem Beitrag »The Limits and Prospects of Comparative Theology«[67] gegenüber dem Programm der *komparativen Theologie* und den Einwänden seitens Klaus von Stoschs und anderer vorbringt. Schmidt-Leukel geht auf die komparative Theologie zu, indem er sie in einigen Punkten eher als Ergänzung der pluralistischen Religionstheologie auszumachen versucht, um unnötige Polemiken zu vermeiden: Komparative Theologie beschäftige sich auf der Elementebene, Religionstheologie bewege sich auf der Systemebene; beide seien standortgebunden – wobei Schmidt-Leukel allerdings nicht verifiziert, worin er den Vergleich sieht.[68] Schmidt-Leukel versucht zudem, sich auf die Komparative Theologie einzulassen, indem er sagt: »Komparative Theologie ... kann ... der Religionstheologie wichtige Entscheidungshilfen liefern.«[69] Insgesamt hat man den Eindruck, dass die pluralistische Religionstheologie in der komparativen Theologie eine wichtige Herausforderung, vermutlich sogar eine inzwischen unverzichtbare Diskurspartnerin gefunden hat.[70]

Abschließend soll noch eine Frage an von Stosch gerichtet werden, dem in vielem, was seine Anfragen an den Pluralismus betrifft, beizupflichten ist, und damit kommen wir zum Anfang dieses Beitrags zurück: Wie kann dieses von ihm eingeklagte »*Festhalten am Eigenen bei möglicher Anerkennung des Fremden*« gelingen? Die Rede vom »Festhalten« am Eigenen wirkt mir verdächtig. Sie klingt doch etwas nach dogmatischer Selbstfixierung und Erstarrung. Sie riecht zwar nicht nach »Verkehrsstau«, aber nach »Fahren mit angezogener Handbremse«. Seine Besorgnis um das Festhalten am Eigenen ist unbegründet: Religionstheologische Theorie muss doch gerade dazu dienen, religiöse Erstarrungen zwischen Systemen, Institutionen und Menschen zu öffnen, zu lockern – und zu lösen, was da eingefahren und erstarrt ist im Dialog. Religionstheologische Theorie kann uns Begründungen dafür liefern, dass es und *wie* es mittels Religion möglich ist, das »Eigene« im Anderen zu finden und den »Anderen« sich im Eigenen finden zu lassen. Dass sich Gott in »Freiheit und Liebe« (R. Bernhardt)[71] dabei in den wechselseitigen Prozessen der Begegnung offenbart und auch durch

[67] Schmidt-Leukel, Limits and Prospects of Comparative Theology, 498ff.

[68] Vgl. die dezidierte und engagierte Auseinandersetzung mit der komparativen Theologie in: Schmidt-Leukel, Grenzen, 87–95.

[69] Schmidt-Leukel, Gott ohne Grenzen, 94f.

[70] Vgl. Schmidt-Leukel, Limits and Prospects of Comparative Theology, 304f. Ähnlich kompromissbereit zeigt sich ein offensichtlich mit beiden Richtungen sympathisierender Religionstheologe: Winkler, Perry Schmidt-Leukel, 312ff.

[71] Vgl. Reinhold Bernhardt, Die Polarität von Freiheit und Liebe. Überlegungen zur interreligiösen Urteilsbildung aus dogmatischer Perspektive, in: Ders./Schmidt-Leukel (Hg.), Kriterien, 71–101.

die Anderen bezeugt, ist, so verstanden, kein *Problem*, sondern die *Lösung* – und genuiner Ausdruck seiner Gnade: Ausweg aus der Sackgasse, in die eine jede Religion, auch die eigene, führen kann. Auflösung des Verkehrsstaus an der Kreuzung, an der nicht nur so genannte »Religionen« einander wahrnehmen und in gegenseitiger Wertschätzung begegnen können, sondern Menschen unterschiedlichen Glaubens miteinander Gottes eine Gnade erfahren können.

ABSTRACT

The article focuses on two main directions of the theology of religions, such as the pluralistic approach (including exclusivism and inclusivism as its predecessors, represented e.g. by Perry Schmidt-Leukel), and the comparative approach (represented by Klaus v. Stosch). The article compares the options and discusses their advantages and disadvantages . The claim of v. Stosch, that keeping one`s own position while recognizing the other's identity is possible, seems to imply logic problems. I along with R. Bernhardt support the idea, that durable modern religious identities are often constructed in mutuality by »truth and love«.

Neue Modelle

Nicholas Adams

Ich habe ein starkes Identitätsempfinden, ein Engländer zu sein. – Ich bin aufgewachsen im Herzen Englands, das man auch als den »Greenbelt« – den grünen Gürtel – bezeichnet, und der Teil des Landes, der die Grafschaft Buckinghamshire umfasst, da, wo ich aufgewachsen bin, hat bei uns den Spitznamen »home counties«, Grafschaft der Heimat. Gleichzeitig habe ich aber auch das starke Identitätsempfinden, ein Europäer zu sein. Schon als Kind, als Chorsänger des Kirchenchors von Oxford, bin ich weit gereist. Wir sangen traditionelle Lieder auf Englisch, Französisch, Deutsch und auch Holländisch. Mit dem Chor besuchte ich im Alter von neun Jahren bereits Frankreich, Belgien, damals noch Westdeutschland und Holland. Seit Beginn meines Theologiestudiums habe ich mich auf die Gegenwartsentwicklung in meinen theologischen Studien konzentriert. Aus diesem Grunde habe ich auch Zeit an den Universitäten Tübingen, Heidelberg und insbesondere Berlin verbracht.

Dieses ist das allererste Mal, dass ich eingeladen wurde, an einer Ihrer Jahrestagungen teilzunehmen, und es ist die gegenwärtige theologische Situation und Entwicklung, die im Zentrum meiner Betrachtungen stehen werden. Diese gegenwärtige Situation ist bestimmend für unsere Zukunft und insbesondere auch prägend für das Verhältnis des Judentums, der Christen und Muslime unter- und miteinander.

Dieser Teil des Programms ist auf alternative Modelle für eine interreligiöse Beschäftigung und ein interreligiöses Miteinander ausgerichtet. Bisher sind wir in den vorangegangenen Vorträgen bereits auf eine Zahl von möglichen Ansätzen gestoßen. Meine Aufgabe ist von daher ganz spezifisch, nämlich auf zwei Aspekte unseres Themas hinzuführen und diese zuzuspitzen. Der erste Aspekt ist methodischer Art und bezieht sich auf das Studium von religiösen Traditionen in ihren wechselseitigen Beziehungen zu- und untereinander. Der zweite Aspekt bezieht sich insbesondere auf den Modus der Beschäftigung mit anderen Religionstraditionen. Im Sinne des Kantianischen Denkmusters nachvollziehend und übertragend, wenn man so sagen möchte, bezieht sich der erste Aspekt auf die Theorie und der zweite beschäftigt sich mit den Fragen zur Praxis. Mein theoretischer Diskurs wird eine Einführung zu der Methodik der Studien sein, welche vom Cambridge Inter-Faith Programme entwickelt wurden; und der praktische Diskurs wird den Aspekt der Schriftbezogenen Reflexion behandeln.

Erster Teil: Sphären der Begegnung

Die vom Cambridge Inter-Faith Programme entwickelte Methodik zum Studium von Religionstraditionen hat weitgehend eine historische Ausrichtung. Dieses ist schon irgendwie ungewöhnlich, denn es kann damit weder als »pluralistisch« und auch nicht sofort als »vergleichend« eingestuft werden. Die Verfahrensweise ist »deskriptiv« und kann nur im Vorfeld zu einem Vergleich herangezogen werden. Ich möchte drei Ihnen bekannte Modelle vorstellen, die zum Studium von interreligiösem Leben herangezogen werden, und dann ein viertes Modell vorschlagen, das dabei helfen soll, die anderen drei zu kontrastieren.

Die von mir gebrauchte und leitende Metapher ist die von unterschiedlichen Sphären. Die drei Sphären, auf die Bezug genommen wird, sind das Judentum, Christentum und der Islam. Allerdings könnte diese Liste auch beliebig erweitert werden mit dem Hinduismus, Buddhismus, dem Jainismus und so weiter. Um in der Sprache der Himmelskörper zu sprechen, so besitzt jede Religionsgemeinschaft eine eigene planetare Sphäre. Und wenn wir uns dazu die Religionsgemeinschaft des Judentums, der Christen und des Islams als Planeten in ihren Umlaufbahnen vorstellen, dann entsteht die Frage, wie wir über die Beziehungen zueinander nachzudenken haben.

Was nun folgt, ist die Vorstellung und Erläuterung von drei sehr bekannten Modellen, die die wechselseitigen Beziehungen untereinander zu beschreiben versuchen.

1. Das Modell der unabhängigen Sphären: Eine separierte Form des Lebens

In unserem ersten Modell begreifen wir die drei Sphären als unabhängig voneinander. Damit ist gemeint, dass alle Sphären eigenständig, getrennt und unabhängig sind. Um es mit der Sprache Wittgensteins auszudrücken – oder vielleicht diese zu missbrauchen: Wir mögen von drei »Lebensformen« sprechen. Es gibt eine spezifisch jüdische Lebensform, eine christliche Lebensform und eine Lebensform der Muslime. Alle drei existieren mehr oder weniger in ihrer isolierten Gestalt. Alle drei habe ihre eigene Geschichte. Alle drei haben ihre eigenen Traditionen. Alle drei haben ihren unterschiedlichen, erkennbaren Charakter. In solch einem sphärischen Modell begegnen sich die einzelnen Formen von Zeit zu Zeit. Um es im philosophisch-wissenschaftlichen Sprachgebrauch auszudrücken – oder vielleicht diesen zu missbrauchen: Wir mögen es so beschreiben wollen, dass alle drei in *ihrem* Sprachspiel »inkommensurabel« sind und es ihnen nur mit größten Mühen und Anstrengungen gelingt, zueinander zu reden. Nach der Art, vergleichbar mit der Unverständlichkeit des Firmaments, scheinen alle drei sich um ihre eigene Achse zu drehen und den ihnen vorgezeichneten unterschiedlichen Umlaufbahnen zu folgen. Dann jedoch, urplötzlich im zwanzigsten Jahrhundert, finden sich alle drei auf einem Kollisionskurs wieder, bei dem die drei unaufhaltsam aufeinander zuzustreben scheinen, mit dem Resultat, dass eine allgemeine Panik ausbricht. Mit der Welle der US-amerikanischen Gegenreaktion auf den Angriff Kuwaits durch irakische Truppen im Jahr 1990 gerät eine »Konfrontation der Zivilisationen« in das allgemeine Blickfeld, mit der Folge, die eine Anzahl von kriegerischen und militärischen Handlungen möglich werden lässt. Daraufhin erscheinen eine Reihe sogenannter Experten im Fernsehen, die uns ihre Meinungen unterbreiten, wie denn nun diese unterschiedlichen Traditionen zu bewerten seien. Mit US-amerikanischen und europäischen Streitkräften, die im Irak und Afghanistan stationiert sind, mit der politischen Instabilität in Ägypten, Libyen und Syrien und mit dem Erwachen des sogenannten Arabischen Frühlings wird eine Vielzahl von politischen und ökonomischen Unsicherheiten mit religiösen Dingen vermischt, wie wir nur allzu deutlich aus den Reaktionen auf den Film der »Innocence of Muslims« – »Die Unschuld der Muslime« entnehmen können. Der Dreh- und Angelpunkt unseres ersten Modells ist der, dass alle drei Sphären ursprünglich als voneinander getrennt verstanden wurden, aber nun neuerdings eine Veränderung der Sphären erfolgte, so, dass diese auf einem unaufhaltsamen Kollisionskurs aufeinander zusteuern. Genau das führt zu starken Gegensätzen. In Großbritannien zu dem Gegensatz von »englischen« und »pakistanischen«, in Deutschland zu dem Gegensatz von »deutschen« und »türkischen« Sphären.

So verstanden ist es dann die Aufgabe des ersten Modells, das bevorstehende und drohende Unheil abzuwehren dadurch, dass die Sphären auf ihre ursprünglichen getrennten Umlaufbahnen zurückgebracht werden.

2. Das Modell der überschneidenden Sphären: Eine Form von Gemeinsamkeiten

In unserem zweiten Modell verstehen wir die Sphären dahingehend, dass sie sich berühren oder überschneiden/überlappen. Dieses Modell drückt eine Art der »Zeitlosigkeit« aus. Denn die Sphären müssen nicht selbst in Bewegung sein, sondern befinden sich bewegungslos/ruhelos hängend in einer Art neutralem Raum, und die Ecken/Kanten überschneiden respektive überlappen sich. Aus genau diesem Grund ist es mit diesem Modell auch möglich, über eine gemeinsame »Tradition des Juden- und Christentums« zu sprechen oder eine »Synthese im Mittelalter« und andere ähnliche Metaphern so zu interpretieren, dass es möglich ist, dass verschiedene Traditionen miteinander vermischt werden können. Die Texte des Tanach oder des Alten Testamentes werden als »gemeinsames Gut« sowohl bei den Juden als auch bei den Christen verstanden. Die Geschichte der Jungfrauengeburt wird zum »gemeinsamen Gut« von Christen und Muslimen erklärt. Bestimmte religiöse Gesetze werden »gemeinsames Gut« des Judentums und des Islams und so weiter.

Der Ursprung dieses Modells kann wahrscheinlich auf die historisch-kritische Methode zur Interpretation biblischer Texte zurückgeführt werden. Das Modell neigt dazu, die Schriften und Traditionen als eine *Assemblage* zu interpretieren, in der die verschiedenen Teilgüter zu einem ganzen gemeinsamen Gut zusammengeführt werden und ein neues Ganzes bilden. So wie das Lukasevangelium als eine Komposition aus den Quellen des Markusevangeliums und »Q« entstand, genauso sind die Traditionen, wenn man sie als Ganzes betrachtet, aus Teilen verschiedener Ursprünge kompositorisch zusammengesetzt. Aus dieser Perspektive betrachtet erscheint das Christentum als ein Komplex aus israelitischen und griechischen Elementen, und es ist mittels der Forschung möglich, die Spuren und Wege unterschiedlicher Traditionen und Quellen nachzuverfolgen, von denen dieser formative Einfluss ausging. Eine zeitliche Betrachtung macht deutlich, wie und wo einzelne Traditionen sich in kulturellen Formen niederschlugen, welche selbst dann wieder als Teile in anderen religiösen Traditionsgruppen verwendet wurden.

Diesem Modell kommt daher eine Schlüsselfunktion zu, nämlich sowohl die Differenzen als auch die Gemeinsamkeiten der drei Traditionsgruppen zu identifizieren und herauszuarbeiten. Geschieht dies, so werden die Gemeinsamkeiten als Zeichen der Hoffnung und die Unterschiede als Zeichen einer ewig anhaltenden Bedrohung gewertet. Die daraus praktisch erwachsende interreligiöse Aufgabe ist es dann, so viele Gemeinsamkeiten zu finden und diese zu betonen und gleichzeitig die bestehenden Unterschiede weitestgehend zu eliminieren oder, sofern dieses nicht geht, solche Unterschiede herunterzuspielen. Denn so lautet das Motto: »Wir haben doch so viel gemeinsam.« Und auf solch einer Basis von verbindenden Gemeinsamkeiten erscheint ein gemeinsames Leben miteinander als möglich.

3. Das Modell der verschmolzenen Sphären: Die Form eines gemeinsamen Kerns

Bei unserem dritten Modell wird ein radikalerer Ansatz vertreten in Bezug darauf, »welche Gemeinsamkeiten« bestehen, als diese oftmals angenommen werden. Es verfolgt im Wesentlichen die von David Friedrich Strauß eingeführte und vorgegebene Denkrichtung aus dem Jahre 1835, welche dann durch Ludwig Feuerbach 1841 zusätzlich radikalisiert und zugespitzt wurde durch die Differenzierung, was »wesentlich« und was »unwesentlich« in der Religion ist. Strauß schlug in seinem Werk »Das Leben Jesu« vor, das zu eliminieren, was »unwesentlich« ist, um damit im Gegenzug im Christentum das re-etablieren zu können, was »wesentlich« ist. Feuerbach insistierte, dass der »wesentliche« Kern einer Religion das ist, was von Wichtigkeit für die Menschheit ist, und schlug des Weiteren vor, doch jenes zu eliminieren, was von Bedeutung für das Gottesverständnis ist. Diese Art der Denkrichtung beeinflusste dann auch eine Vielzahl der sogenannten »liberalen Denker«, eingeschlossen Ritschl, von Harnack und Troeltsch. Was die eben vorgestellten Denker alle verbindet, ist der Versuch, identifizieren zu können, was »wesentlich« sei, um damit gleichermaßen die Dinge ausschalten zu können, die eine Ablenkung vom wesentlichen Religionsgehalt darstellen. Die überwältigende Stoßrichtung dieser tendenziellen Strömung war es, das, was wir oft als »zeremonielle Aspekte« bezeichnen, als »unwesentlich« zu erachten, während »moralische Aspekte« als »wesentlich« galten. Die Strömung folgt damit dem Werk von Kant »Die Religion innerhalb der Grenzen der bloßen Vernunft« und fokussiert auf einer Religion als »Moral/moralisch«, allerdings mit einer mehr emphatischen Methodik, die dabei helfen sollte, »Wesentliches« und »Unwesentliches« auszudifferenzieren, um dann beide voneinander zu trennen.

Sobald diese Art der Denkrichtung in die interreligiöse Begegnung aufgenommen wird, entsteht dadurch eine Vielzahl neuer Möglichkeiten. Die gewichtigste ist die beschriebene »klassisch-liberale« Richtung. Diese gibt uns auf zu identifizieren, was der »wesentliche« Kern einer spezifischen Traditionsrichtung ist. Tun wir das, so müssen wir feststellen, dass der Kern bei allen Traditionen identisch ist. Während wir bei unserem zweiten Modell betonen, dass wir doch so viel gemeinsam haben, werden wir beim dritten Modell herausheben müssen, dass wir im »Wesentlichen« doch alle gleich sind. Damit ist gesagt, dass der Fokus auf eine spirituelle/geistige Verpflichtung und eine »moralische« Ansicht gelegt wird, mit dem Ziel, sich der »zeremoniellen« Fallen zu entledigen. Religiöse Traditionen sollen »gereinigt« werden von den Aspekten, die »unwesentlich« sind, damit umso klarer erkannt werden kann, welche die eigentlich »wesentliche« Identität ist, die beizubehalten ist.

Auf diese Art haben wir drei allgemeine Modelle gefunden und erklärt. Im ersten Fall sind die Traditionen unabhängig voneinander, im zweiten Modell teilen die Traditionen gewisse Gemeinsamkeiten, und im dritten Ansatz lassen sich Traditionen auf einen gemeinsamen Kern zurückführen. Aus den drei jeweiligen konzeptionellen Verständnissen lassen sich drei praktische Aufgaben ableiten. Nämlich erstens: Wir müssen die ursprüngliche getrennte Form wieder re-etablieren. Zweitens: Es gilt zu betonen, welche Gemeinsamkeiten geteilt werden. Und drittens: Es gilt herauszustellen, dass es einen »wesentlichen« gemeinsamen Kern gibt.

Aus meiner Erfahrung können diese drei Modelle beliebig so miteinander kombiniert werden, dass daraus eine Vielzahl von Mischformen entsteht, die als solche dann wiederum ein unheiliges Chaos von Konzepten mit sich bringen, mit der entsprechenden dazugehörigen Konfusion über den praktischen Handlungsbedarf.

4. Das Modell sich bewegender Sphären: Eine Form sich wechselseitig anziehender Kräfte

Wir wenden uns nun dem vierten Modell zu, das, wie schon angedeutet, in einem scharfen Gegensatz zu den drei früheren Modellen steht. Des Weiteren werden wir sehr deutlich erkennen, dass sich dem vierten Modell eine Reihe von negativen Eigenschaften zuordnen lassen. Diese sind:

1. Dass Traditionen nicht voneinander unabhängig sind.
2. Dass die Traditionsunterschiede keine Zeichen der Gefahr sind.

3. Dass wir nicht in der Lage sind, zu unterscheiden, was »wesentlich« und was »unwesentlich« ist.

Gegen das erste Modell lässt sich einwenden, dass es leugnet, dass Traditionen voneinander abhängig sind. Um das aber einzusehen, ist eine historische Betrachtung notwendig. Das Juden- und Christentum entwickelten sich nebeneinander, nach der Zerstörung des jüdischen Tempels im Jahr 70 nach Christus. Die rabbinische Tradition entwickelte sich zu derselben Zeit, in der in der patristischen Epoche die Konzile abgehalten wurden und beide Traditionsströmungen sich zu einem wesentlichen Teil durch die Strömung ihres Gegenübers definierten. Das waren keine getrennten Sphären, welche sich ungehindert um sich selbst drehten im freien Raum, sondern im Gegenteil, dies waren aufeinander einwirkende Sphären, deren Pfade sich gegenseitig immer wieder kreuzten und beeinflussten. Ähnlich verhält es sich mit der Tradition des Islams, dessen Entwicklung in der Mitte der jüdischen und christlichen Gemeinden stattfand und der sich als Traditionsströmung bei der Kommentierung des Koran seiner Beziehung zu Tanach und Neuem Testament durchaus bewusst war und sich daher so aus seiner Unterschiedlichkeit im Vergleich zu den beiden anderen Traditionsgruppen heraus als eine neue Tradition selbst definierte. Nochmals, das ist nicht eine dritte, neue, unabhängige Sphäre, die da entsteht, sondern eine Sphäre, die aus den beiden anderen Sphären erwuchs und deren Weg und Entwicklung durch das bestimmt ist, was durch die Pfade/Entwicklung des Juden- und Christentums bereits bestimmend vorgezeichnet wurde.

Daher können für das vierte Modell durchaus auch positive Ansprüche geltend gemacht werden:

1. Die Traditionen definieren sich durch ihre wechselseitigen Beziehungen zueinander.
2. Die Identität einer Traditionsgruppe wird bestimmt durch die Beziehungen zu den jeweils anderen Traditionsgruppen.
3. Die Geschichte einer Traditionsgruppe ist damit auch immer gleichzeitig die Geschichte der beiden jeweils anderen Gruppen.
4. Eine Veränderung innerhalb einer Traditionsgruppe verursacht häufig ebenfalls Veränderungen in den beiden jeweils anderen Gruppen.

Das heißt, das vierte Modell ermöglicht es uns, den drei vorangestellten Modellen einen Sinn abzugewinnen.

Das erste Modell, das darauf insistiert, dass alle drei Traditionsgruppen unterschiedlich und voneinander getrennt angesehen werden müssen: Dies ist die Eigenansicht der jeweiligen drei Gruppen, eben weil jede einzelne Gruppe sich von ihrem Anfang an selbst definiert als Gegenüber der jeweils anderen, mit dem Anspruch, der sie ausmacht, eben sich selbst als unterschiedlich zu verstehen. Dabei ist zu beachten, dass das erste Modell diese rhetorische Strategie der Unterschiedlichkeit in einen wissenschaftlichen Modus überführt. Aber dies ist bestenfalls als eine rhetorische Strategie zu interpretieren anstatt als ein wissenschaftliches festes Datum. Weiterhin ist festzuhalten, dass alle drei Traditionen niemals unabhängig voneinander getrennt existiert haben.

Das zweite Modell hingegen insistiert darauf, dass alle drei Traditionsgruppen Gemeinsamkeiten aufweisen, hervorgerufen durch historische Begegnungen der Traditionen, welche dann wiederum Spuren in den Texten oder der Praxis hinterlassen haben. Das Problem hierbei ist, dass diese sogenannten hinterlassenen »Spurenelemente« als enthistorisierte Ablagerungsteilchen dargestellt werden, die völlig zeitlos sind und sich somit dazu eignen, in den Schaukästen eines Museums für Religionen ausgestellt zu werden. Aber in Wirklichkeit sind diese sogenannten gemeinsamen verbindenden Elemente eine verzerrte Denkart über eine gemeinsam durchlebte Geschichte und implizieren, dass wir uns wieder auf diese Geschichte respektive Geschichten hin fokussieren sollten.

Das dritte Modell insistiert, dass es etwas »Wesentliches«, einen gemeinsamen Kern geben müsse. Und tatsächlich weist dieses Modell einen großen Wahrheitsgehalt auf, wenn dieser auch in einer problematischen Art und Weise präsentiert wird. Die drei Traditionsgruppen können nicht unabhängig voneinander verstanden werden, das ist sehr wohl die Wahrheit. Gleichwohl nicht deshalb, weil an ihnen etwas »wesentlich« oder etwas »unwesentlich« ist, sondern deshalb, weil durch gegenseitige Begegnung und Austausch sich die Traditionsgruppen unterschiedlich selbst wahrnehmen und definieren. Von daher ist es die Aufgabe, die Art und Weise wahrzunehmen, in der solche Begegnungen stattfinden und wie sie die Traditionen geformt haben.

Die praktische Aufgabe des vierten Modells ist offensichtlich. Die Begegnungen, wie wir sie in unserem 20. Jahrhundert wahrnehmen, sind die geschichtliche Entwicklung von bereits früher erfolgten Begegnungen. Dabei werden die Unterschiede und Gemeinsamkeiten immer wieder neu verhandelt und austariert, und genau das ist es, was zu untersuchen sein wird. Jedes Aufeinandertreffen von bestimmten Gemeinschaften resultiert in einer rhetorischen Differenzierung, und diese hinterlässt dann Spuren in dem Selbstverständnis einer jeglichen Traditionsgruppe.

Daher muss man die Begegnungen untersuchen! Dies stellt eine historische Aufgabe dar, in der untersucht wird, wie Begegnungen in der Antike, dem Mittelalter und im Spätmittelalter, in der Moderne sowie die unterschiedlichen missionarischen Aktivitäten mit ihrem Nachspiel auf die Gemeinschaften eingewirkt und zu einer Verteilung als einem globalen Phänomen geführt haben.

Das Judentum entstand wohl in Israel, aber wurde dann zu einem Diaspora-Phänomen, stellvertretend dann sogar für Jerusalem selbst.

Das Christentum entwickelte sich in Rom, Nordafrika und in Gegenden, die heute zur Türkei gehören, und stellte sich auf Europa ein, für eine gewisse Zeit zumindest. Aber in der heutigen Zeit ist es doch unbestritten, dass mit dem Aufkommen der Pfingstbewegung die wesentlichsten Entwicklungen in Afrika und Südamerika stattfinden.

Der Islam entwickelte sich in Arabien und Persien und resultierte in einer Texttradition in Arabisch, die bis heute die höchste Autorität besitzt. Aber die wichtigsten Entwicklungen finden doch heute in Indonesien, Südostasien und China statt, wo die Muslime in den überwiegenden Fällen kein Arabisch lesen können. Daher können wir in Großbritannien und in Deutschland bei den Muslimen ein sich veränderndes Bewusstsein antreffen, mit einer entzündenden »konservativen« Besorgnis im Verbund der arabischen Traditionsgruppen versus die großen »liberalen« sozialen Veränderungen innerhalb der einzelnen Familien. Wir verstehen den Islam nicht allein dadurch, indem wir nach Mekka und Medina fahren, sondern indem wir Berlin und Bradford besuchen.

Mit anderen Worten, die Traditionsgruppen verändern sich in dem Augenblick, in dem sie sich begegnen. Das Cambridge Inter-Faith-Programme ist ein Forschungszentrum, das hingebungsvoll solche Begegnungen untersucht – in der geschichtlichen Vergangenheit und in der Gegenwart. In der ihr gegebenen spezifischen Art und Weise richtet diese Forschung ihr Augenmerk auf die Veränderungen. Wir brauchen dringendst Veränderungen in unserer Zeit – Veränderungen in allen Traditionen und Traditionsgruppen –, doch wir können diese nicht erzwingen. Besser gesagt, wir müssen unsere Unterschiede begreifen lernen als Ausdruck der Begegnungen von damals und heute. Daher bleibt festzuhalten, dass die Unterschiede keine Zeichen von Gefahr sind, Ähnlichkeiten kein

Ausdruck von Hoffnung; jenes sind die Begegnungen, die dann auch der Stimulus für unsere Forschung sind.

Zweiter Teil: Eine langfristige, anhaltende Unstimmigkeit

Wir kommen nun zum zweiten Teil. Unsere theoretische Untersuchung führte uns zu der Konzeption von unterschiedlichen Sphären mit Gravitationsfeldern, die sich gegenseitig auf ihrer historischen Bahn beeinflussen. Die Traditionen respektive Traditionsgruppen sind definiert durch ihre Relationen zueinander; keine Tradition oder Gruppe kann für sich einen unabhängigen historischen Kurs beanspruchen, bei dem die beiden anderen außen vor gelassen werden können.

Die Frage, die nun vor uns liegt, ist die: Was für eine Art von interreligiöser Glaubenspraxis ist nun vorstellbar und gleichzeitig vertretbar im Angesicht eines solchen Modells? Ich schlage Ihnen die Schriftbezogene Reflexion als angebrachte, probate Form der Glaubenspraxis vor. Wie dem auch sei, ich muss sofort hinzufügen und klarstellen, dass die Schriftbezogene Reflexion nicht als eine glaubenspraktische Antwort auf meine theoretischen Sphärenmodelle entwickelt worden ist. Seit ungefähr zehn Jahren beschäftige ich mich mit der Schriftbezogenen Reflexion, dahingegen geht die Beschreibung meiner Sphärenmodelle auf den Anfang dieses Monats zurück als ein Teil der Konferenzvorbereitung. Die Theorie ist in meinem Fall de facto eine Antwort auf die Praxis und nicht andersherum. Ich habe mich zuerst mit der Schriftbezogenen Reflexion beschäftigt, und erst später kam ich darauf, mich mit Traditionen, Traditionsgruppen und den Sphären in der Ihnen vorgestellten Art zu beschäftigen.

Die Schriftbezogene Reflexion ist eine Praxisform, in der Juden, Christen und Muslime Texte zusammen lesen. Dabei lesen wir die Texte des Tanach, des Neuen Testamentes und des Koran. Wir lesen diese in ihrer übersetzten Form. Ein Komitee wählt eine kleine Anzahl von Texten aus, die häufig vom gleichen Thema handeln. In den letzten Jahren haben wir Texte studiert zum Thema Schuld, über die Familie und über Frauen. Eine der »klassischen« Schriftbezogenen Reflexionen war eine Studie über den Text: »Und der HERR verhärtete Pharaos Herz« (Exodus 9,12).

Eine Studieneinheit dauert um die neunzig Minuten. Die Texte werden so ausführlich gelesen, dass sie zu den Teilnehmern sprechen. Für diejenigen, die noch unvertraut mit der Praxis sind, suchen wir tiefgehende Texte von ungefähr fünfzehn Versen oder mehr aus und diskutieren diese relativ intensiv. Wir beginnen zuerst mit den Textaspekten, die besonders auffallend sind. Wir achten auf die benutzten Verben oder Nomen, Wiederholungen oder das, was ausgelassen wurde. Gruppen mit mehr Erfahrung wählen oft kürzere Texte aus, um sie dann in ihrer Tiefe auszuloten. Es ist ein wenig so, als ob man Bilder in einer Galerie betrachtet und zu interpretieren versucht. Dabei ist es oft so, dass die Leute, die sich erst seit relativ kurzer Zeit mit Kunst beschäftigen, versuchen, in möglichst kurzer Zeit so viele Bilder wie möglich zu sehen, und so ein Pensum von einigen Dutzend Bildern absolvieren. Im Gegensatz dazu steht der Kunstkenner, der vielleicht zehn bis fünfzehn Minuten, vielleicht auch mehr vor einem Bild verbringt. Eine Gruppe, die sehr erfahren in der Schriftbezogenen Reflexion ist, kann zuweilen eine Stunde an ein oder zwei Versen verbringen.

Wir lesen Übersetzungen deshalb, weil wir eine internationale Gruppe sind, aber fast immer haben wir auch den Originaltext zur Hand. In jeder Gruppe gibt es einen Vorsitzenden, dessen Aufgabe es ist sicherzustellen, dass die Gruppe fokussiert bleibt, die Probleme des Textes abarbeitet und sich so weit wie möglich vorarbeitet. Sie werden sicherlich schon mutmaßen, was unser größtes Problem ist? Wir haben in Gruppen leider Leute, die allzu gern zu viel reden, während anderen der Vorwurf gemacht werden kann, dass sie zu geduldig zuhören. Eine gute Gruppe findet für sich selbst die Balance zwischen Sprechen und Hören, wie dieses nun einmal auch bei jedem guten Gespräch austariert werden muss. Der Gruppenvorsitzende behält die Zeit im Auge, damit die Gruppe freier arbeiten kann. Sollten einzelne Teilnehmer allzu zurückhaltend sein, dann kann der Leiter auch Fragen stellen, um ein Gespräch in Gang zu bringen.

Die Texte werden mit Wertschätzung behandelt, den Traditionsgruppen mit Ehre und den Personen mit dem gebotenen Respekt begegnet.

Schriftbezogene Reflexion lässt sich nur schwer beschreiben, es ist am besten, wenn man die Erfahrung machen kann und es einmal selbst erlebt hat. Es gibt bereits Formen, wie solch eine Gruppe auf Deutsch abgehalten werden kann. Es gibt auch schon Gruppen für Schriftbezogene Reflexion in Berlin, die für sich selbst das Konzept ins Deutsche übertragen haben. Es werden momentan Gruppen für Hamburg und Tübingen geplant, und die Zeit wird zeigen, wie sich die Praxis weiterentwickeln wird.

Erlauben Sie mir bitte, dass ich auf zwei interessante Bestandteile hinweise, die von besonderer Bedeutung für unsere sphärischen Traditionsbetrachtungen sind. Natürlich gibt es da noch viel mehr zu sagen, doch das können wir auch in der abschließenden Diskussion besprechen. Der erste Bestandteil der Schriftbezogenen Reflexion als Praxis ist das Gefälle von der Übereinstimmung hin zum Verstehen und der zweite die Relation von Konsens und Kollegialität.

1. Verstehen ist wichtiger als Übereinstimmung

In vielen Formen der interreligiösen Begegnung ist es die Aufgabe, verschiedene Probleme zu untersuchen, um danach eine Übereinkunft erzielen zu können. Solche Übereinkünfte werden getroffen entweder auf der Basis von Glaubensgrundsätzen oder auf Grundlage der gelebten Glaubenspraxis. Ein Streben nach Übereinstimmung wird oftmals durch die uns nur allzu bekannte Form der Angst angetrieben, verursacht durch die interreligiöse Begegnung selbst. Sie wird gespeist von der Sorge, dass Übereinstimmung gleichzeitig mit einem Zeichen der Hoffnung gleichzusetzen ist und, umgekehrt, Differenzen Anzeichen von Gefahr bedeuten. In dem Streben nach gemeinsamen Übereinkünften besteht daher das Ziel, die Übereinstimmungen zu maximieren und die Differenzen zu minimieren.

Die Schriftbezogene Reflexion verfährt nicht nach dem Grundmuster, eine Übereinstimmung erzielen zu müssen. Die Aufgabe der Schriftbezogenen Reflexion besteht darin, das Verstehen zu fördern. Sollten Teilnehmer in einer unserer Studiengruppen zu Übereinkünften gelangen, so ist das sicherlich nicht schlecht, aber Traditionen und Traditionsgruppen können sich in vielen Fällen nicht einigen, und wir haben bei meinen vorherigen Ausführungen auch gesehen, warum das auch der Fall sein kann/muss. *Es gilt zu verstehen, dass sich Traditionsgruppen oftmals durch ihre Unterschiede selbst definieren.* Daher ist die Unstimmigkeit ein ganz natürliches Resultat des Prozesses jener Selbstdefinition. Mit anderen Worten, es ist kein Zufall, dass Traditionsgruppen sich im Dissens wiederfinden, denn genau diese Unstimmigkeit oder Dissens ist ein integraler Teil ihrer Eigenidentität. Damit ist gesagt, dass die Unstimmigkeiten und der Dissens von Dauer sind. Unstimmigkeiten sind von langfristiger Dauer.

Die Schriftbezogene Reflexion ist eine exzellente Praxisübung für diejenigen, die an einem dauerhaften Dissens festhalten. Das Verstehen steht im Vordergrund, und es ist daher mit keinerlei Enttäuschung verbunden, wenn man nicht miteinander übereinkommt. De facto wäre es besonders überraschend und auch sehr problematisch, wenn die Schriftbezogene Reflexion emphatische Übereinstimmung in allen Punkten generieren würde. Genau diese wäre ja eher ein Zeichen dafür, dass sich die Teilnehmer nicht der Wahrheit ihrer eigenen Traditionsgruppe verpflichtet sähen. Schriftbezogene Reflexion ist etwas für diejenigen, die der Wahrheit ihrer Traditionsgruppe den Vorrang geben wollen.

Von daher ist der Aspekt erwähnenswert, dass eine solche Reflexionsgruppe dem gegenseitigen Verstehen oberste Priorität einräumt, anstatt zu versuchen, eine Übereinstimmung zu erzielen. Es wird Uneinigkeit erwartet und diese auch angenommen.

2. Kollegialität ist wertvoller als Konsens

In vielen Fällen der interreligiösen Begegnung besteht die Aufgabe, die divergierenden Stimmen eines Chores zu einem Konsens zu vereinen. Ein Konsens ist eine Angelegenheit, bei der gemeinsame Vorsätze oder ein allgemeiner Wille bekundet werden. Es meint die Beseitigung von Differenzen, soweit es irgend möglich ist, und die Firmierung eines gemeinsamen Empfindens, eines gemeinsamen Zweckes und vereinten Handelns. Der Konsenswunsch wird oftmals begleitet von dem Verlangen, ein besonderes Ziel zu erreichen, vergleichbar mit der Verabschiedung eines Gesetzes in einer Parlamentsdebatte, die dabei helfen soll, alle Glieder einer Gesellschaft einzubeziehen und sich dadurch regieren zu lassen.

Die Schriftbezogene Reflexion wird generell nicht dafür benutzt, um Konsens zu erzielen oder zu fördern. Stattdessen hat es sich als sinnvoll erwiesen, dass sich Gruppen ohne Vorgaben oder Zielvorgaben treffen. Manche Gruppen treffen sich jeden Monat, während andere wiederum nur einmal im Jahr zusammenkommen. Beziehungen kommen zustande oder werden über längere Zeiträume vertieft. Daher lässt sich sagen, dass die Schriftbezogene Reflexion Wert auf Kollegialität legt. Darunter verstehe ich Formen von Sozialverhalten, die über eine längere Dauer bestehen bleiben, sei es nun in Zeiten von Aktivität oder Inaktivität. Dieses sollte vielleicht am besten als ein Band an Beziehungen anstatt die Verfolgung von einer Reihe von Zielen verstanden werden. Um es in der Terminologie von Jürgen Habermas auszudrücken, es geht dabei eher um eine kommunikative anstatt um eine strategisch ausgerichtete Handlungsweise.

Über Rawls und Habermas hinausgehend

Ich möchte im Folgenden gerne die Gedanken bündeln und dabei über die unterbreiteten Vorschläge von John Rawls und Jürgen Habermas nachdenken, für die beide gilt, dass sie den Versuch unternommen haben, über Wege nachzudenken, wie und welche religiösen Stimmen in eine moderne Gesellschaft einzubringen sind. Ich werde dieses aus Zeit- und Platzgründen ein wenig übersimplifiziert darstellen.

John Rawls schlägt vor, die Traditionen von Religionen als eine Verkörperung von »allseitig umfassender Doktrin« aufzufassen und dabei darauf zu achten, wo es Bereiche für einen »übergreifenden Konsens« gibt.

Die Idee der »allseitig umfassenden Doktrin« ist ein klassischer Ausdruck von Rawls' Überzeugung, dass die menschlichen Handlungen von Prinzipien anstelle von Gewohnheiten geleitet werden. Rawls (wie Kant) bekräftigt die Idee, dass es sich bei uns um sogenannte »vernunftgemäße Bürger« handelt, die als Person in einer Gesellschaft leben wollen, die auf eine breite Zustimmung angelegt ist, was Prinzipien angeht, und die wiederum ein Leben im Angesicht einer diversifizierten Gesellschaft ermöglichen. Vernunft geleitete Bürger lassen sich faktisch nicht anhand ihrer Einzelüberzeugungen voneinander unterscheiden, je nachdem, was sie für gut oder schlecht halten, gerecht oder ungerecht, sondern anhand der Tatsache, dass bestimmte Überzeugungen ein kohärentes Ganzes formen, welches ihr Denken und Handeln bestimmt. Dieses kohärente Ganze, das ist mit dem Begriff »allseitig umfassende Doktrin« gemeint. Der Umfang jedoch dieser »allseitig umfassenden Doktrin« ist eher als vage anzusehen. Das wichtige Charakteristikum ist die Tatsache, dass verschiedene »allseitig umfassende Doktrinen« im Spiel sind. In einer modernen Gesellschaft wird man wohl eine Reihe von verschiedenen »allseitig umfassenden Doktrinen« erwarten dürfen und von daher kann man von einer solchen Gesellschaft, die sich selbst als eine gemeinsame gesellschaftliche Verpflichtung begreift, nicht erwarten, dass sie von einer einzigen Doktrin geleitet wird. Nimmt man diese »allseitig umfassende Doktrin« ernst, so versteht man, dass sich diese um die Koexistenz verschiedener Traditionen und Traditionsgruppen sorgt. Aber Rawls sagt noch mehr als das, indem er vorschlägt, dass eine »politische« Konzeption unabhängig sein sollte von den »allseitig umfassenden Doktrinen«, denn dies erlaubt es den vernunftgeleiteten Bürgern, mit unterschiedlichen Doktrinen übereinzustimmen, um so friedlich miteinander leben zu können.

Diese Idee der »allseitig umfassenden Doktrin« ist in der Lage, ein überaus signifikantes Problem benennen zu können, nämlich jenes eines ethischen Ansatzes, welchem sich Rawls durch ein System von Ideen annähert. Solches kann durch eine gestellte Frage verdeutlicht werden. Was motiviert Menschen, sich an Konzeptionen verbindlich zu binden, wie beispielsweise den politischen Liberalismus, der das Produkt eines Gedankensystems ist und daher weder historisch überliefert, noch eine Verkörperung an sich darstellt? Die Vorstellung eines »übergreifenden Konsenses« ist darauf ausgerichtet, als eine Brücke zu fungieren zwischen der »allseitig umfassenden Doktrin« und dem systemischen Produkt der Vernunft. Rawls geht von drei Dingen aus:

1. Dass es Bereiche von Überschneidungen von verschiedenen »allseitig umfassenden Doktrinen« gibt.
2. Dass solche Schnittmengen identifizierbar sind.
3. Dass sie sich in einer solchen Weise artikulieren lassen, dass man den rationalen Bürger dazu motivieren kann, zu kooperieren.

Lassen Sie mich es etwas informeller ausdrücken. Sie und ich mögen in einer Vielzahl von Dingen unterschiedlichster Meinung sein und gehören noch dazu verschiedenen Traditionsrichtungen an. Aber, und mit diesem stimmen unsere Traditionsrichtungen wiederum überein, genau das können wir benutzen als eine Basis für unsere gemeinsamen gesellschaftlichen Verpflichtungen. Die zugrundeliegende Idee ist dabei die, dass wir uns auf die eine gleiche Sache einigen können, aber aus unterschiedlichen Gründen.

Wendet man das bisher Gesagte auf die interreligiöse Begegnung in der öffentlichen Sphäre an, dann bietet Rawls' Idee eine Grundstruktur, in der die einzelnen Traditionen und Traditionsgruppen zwar nicht von den »allseitig umfassenden Doktrinen« abstammen, zu denen sie sich aber durchaus verpflichten können, solange eine genügend große Schnittmenge für einen Konsens vorhanden ist.

Habermas hat kürzlich eine ähnliche Ansicht geäußert. Religiöse Traditionen sind die Träger moralischer Intuitionen, die ohne die Religionsgemeinschaften sonst so nicht in der Kultur vorkommen würden. Diese Religionstraditionen unterweisen ihre Mitglieder, um moralische Personen zu werden. Des Weiteren sind sie eine starke Motivation für die Weitergabe moralischen Handelns, die sonst in unserer Kultur fehlen würde. Die religiösen Traditionen sind ebenfalls Fürsprecher für die Randgruppen und die Verwundbaren in einer Gesellschaft. Außerdem sind sie Träger der Hoffnung, die sonst kaum aufrechtzuerhalten wäre. Diese Sichtweise kommt dem sehr nah, was Kant in »Die Religion innerhalb der Grenzen der bloßen Vernunft« beschrieben hat, eben abhebend darauf, dass die moralischen Dimensionen durch rationale und durch religiöse Ansprüche weitergegeben werden. Habermas unterscheidet demnach sehr streng zwischen rationalen und religiösen Ansprüchen. Ein rationaler Anspruch ist für Habermas einer, der prinzipiell uneingeschränkt offen ist, um hinterfragt zu werden. Ein religiöser Anspruch ist im Gegensatz dazu ein Anspruch, welcher von der Religionsgemeinschaft nicht preisgegeben wird, um offen hinterfragt werden zu können. Der religiöse Anspruch ist somit unantastbar und nicht verletzbar. Das ist das wichtigste Unterscheidungsmerkmal für Habermas.

Daraus wird ein Bild klar erkennbar, wie das religiöse Leben gesehen wird. Auf der einen Seite ist es der Träger moralischer Ein- und Ansichten, die anderenfalls nur abgeschwächt vorkommen würden; auf der andern Seite blockiert eine religiöse Tradition und die damit verbundene Gruppe eine rationale Diskussion über die Einblicke. Es lässt sich daher sagen, dass religiöse Ansprüche im diskursiven Sinne extraterritorial angesehen werden können.

Vor diesem Hintergrund macht Habermas einen Vorschlag, wie religiöse Ansprüche in der öffentlichen Sphäre behandelt werden sollten. Habermas fasst seinen Beitrag wie folgt zusammen:

> Religiöse Überlieferungen besitzen für moralische Intuitionen, insbesondere im Hinblick auf sensible Formen eines humanen Zusammenlebens, eine besondere Artikulationskraft. Dieses Potential macht die religiöse Rede bei entsprechenden politischen Fragen zu einem ernsthaften Kandidaten für mögliche Wahrheitsgehalte, die dann aus dem Vokabular einer bestimmten Religionsgemeinschaft in eine allgemein zugängliche Sprache übersetzt werden können.[1]

Religiöse Traditionen und ihre Gemeinschaften besitzen eine Sprache, die imprägniert ist durch die eigene Geschichte, eine Sprache, die für den einen Sinn macht, der sie spricht. Wenn diese Wahrheitsansprüche (insbesondere Moralansprüche) für die Öffentlichkeit verfügbar werden sollen, dann müssen diese in eine Sprache übersetzt werden, die von anderen verstanden werden kann. Oder anders ausgedrückt, der moralische Schatz der religiösen Traditionsgruppen kann nur dann effektiv für die öffentliche Sphäre werden, wenn dieser Schatz umgemünzt werden kann in eine rationale Währung. Mit anderen Worten, er muss flüssig gemacht werden können und einlösbar sein.

Es gibt mancherlei Kritikpunkte an diesen Modellen. Rawls' Modell in der Sprache des »übergreifenden Konsenses« erscheint mir eine Version meines

1 Jürgen Habermas, Zwischen Naturalismus und Religion, 137.

zweiten Modells von den überschneidenden Sphären zu sein. Der Ausdruck von Habermas von einem »rationalen Kern« bei seiner Bezugnahme auf die religiösen Traditionen kommt dicht an mein drittes Modell von den verschmolzenen Sphären heran. Leider fehlt mir an dieser Stelle die Zeit, um den Sachverhalt detaillierter darzustellen. Es ist mir jedoch wichtig, darauf hinzuweisen, dass ich eine Alternative zu beiden aufgezeigt und vorgestellt habe. Mein Vorschlag lautet daher, dass wir uns stärker geschichtlich, an Traditionen und an den aktuellen Begegnungen ausrichten, anstatt über Überschneidungen und deren möglichen Wahrheitsgehalt zu reden.

Außerdem habe ich eine Alternative aufgezeigt zu dem Modell, das von John Hick entwickelt wurde, mit dem Ansatz »exklusivisch«, »inklusivisch« und »pluralistisch«. Wenn ich meinen Ansatz mit einem Wort beschreiben soll, das auch gleichzeitig den Unterschied meines Ansatzes verdeutlichen hilft, dann würde ich es als »relational« beschreiben, denn es fokussiert nicht auf eine »Exklusion« noch eine »Inklusion«, sondern auf die Art, wie sich Traditionen auf die unterschiedlichste Weise hervorbringen.

Zum Schluss bleibt mir nur darauf hinzuweisen, dass ich ein Modell anbiete, das historisch statt rational und relational statt pluralistisch ist.

(Übersetzung: Markus Thane, Edinburgh)

(Dr. Nicholas Adams ist Senior Lecturer in Systematic Theology and Theological Ethics und Director of Undergraduate Studies an der School of Divinity der University of Edinburgh)

ABSTRACT

The paper introduces some models of interreligious dialogue, using the methodology of the Cambridge Inter-Faith Programme. It starts with the model of independent spheres (religions) or ›planets‹ which seem to collide and need to be brought back to their original courses. Another model is the one of overlapping spheres. Commonalities are the focus of interest. A third model identifies substantial (beneficial for humankind) and non-substantial (ceremonial) elements of religions and supposes that all have a common core. As a forth model the one of mobile spheres is suggested which implicates the mutual attraction and interaction of spheres (religions). The Scripture-oriented reflection is explained and explored as how to use it related to interreligious interaction. With reference to Rawls and Habermas, the paper offers a relational and historical approach instead of talking about commonalities and truth.

Bei dem nachfolgenden Text handelt es sich um das (leicht gekürzte) Vorwort zum Buch Olaf Schumann, Ulama & Cendekiawan Bicara Isa al-Masih dan Ajarannya. Membangun Kesadaran kritis Hubungan Islam-Kristen (Gelehrte und Intellektuelle sprechen über Jesus Christus und seine Lehren. Zum Aufbau kritischer Beziehungen zwischen Muslimen und Christen). Jakarta: Paramadina 2011, d.h. der indonesischen Ausgabe des Buchs Der Christus der Muslime (2. Auflage Köln 1988). Das indonesische Original des Textes wurde von Olaf Schumann ins Deutsche übersetzt.

Streit um die Bedeutung Gottes

Abdul Moqsith Ghazali

Vorbemerkung

Islam und Christentum sind Geschwisterreligionen. Jesus, der das Christentum hervorbrachte, und Muhammad, der den Islam verkündete, stammen von demselben Vorfahr ab, nämlich dem Propheten Abraham. Muhammad führt seine Ahnenreihe über Hagar, die Mutter Ismaels, zurück auf Abraham, während Jesus, der Sohn der Maria, über Sarah, die Mutter Isaaks bin Ibrahim, seine Vorfahren zurück auf Abraham führt. Gewiss, es gibt einen Hadith von Muslim, der besagt, dass alle Propheten Brüder seien. Geboren wurden sie zwar von veschiedenen Müttern, aber ihre Religion ist eine (*ummahâtuhum shatta wa-dînuhum wâhid*). Der Prophet Gottes (Muhammad) sagte, dass niemand Jesus näher stünde ausser mir. Im Hadith von Bukhari steht, dass diejenigen, die an Jesus und an Muhammad glauben, gemeinsam doppelt belohnt werden.[1]

[1] (SIc. am Tage des Gerichts.) Muhammad ibn Ismail ibn Ibrahim al-Bukhari, Shahih Bukhari. Kairo: Dar Ibn al-Haytsam 2004, 408, hadith no. 3446.

Offenbar beschränkt sich die Nähe nicht nur auf die biologische Verwandtschaft, sondern auch auf die »theologische Genealogie«. Vom Propheten Gottes (Muhammad) wird der Ausspruch berichtet: »*Mein Verhältnis zu den anderen Propheten lässt sich mit einem Menschen vergleichen. Dieser baute ein Haus, das sehr schön konzipiert war, nur fehlte auf einer Ebene eine Kachel. Die Menschen umschritten voller Verwunderung dieses Haus, nur fragten sie: ›Warum fehlt in einem Zimmer eine Kachel?‹ Darauf antwortete der Prophet: ›Diese Kachel bin ich. Ich bin der letzte aller Propheten‹.*«[2] Dieses Beispiel weist darauf hin, dass die Grundlehren, die der Prophet Muhammad verkündete, die gleichen sind wie die Grundlehren der anderen Propheten. Zum Beispiel wie bei einem Haus: die Lehren stehen fest, die des einen stärken die des anderen. Im Qur'an heisst es: »*Gewiss schätzt Gott diejenigen, die sich auf Seinem Wege in geordneter Weise abmühen, vergleichbar einem fest verankerten Hause*« (Sure 61:4).

Die Anwesenheit späterer Propheten bedeutet die Fortsetzung der vorhergehenden. Deshalb wurde dem Propheten Muhammad von Gott befohlen zu sagen, dass er nicht der erste in der Folge der Propheten und Gesandten Gottes sei. Er sei lediglich einer unter tausenden, die von Gott alle in die Welt gesandt worden sind. Ein Spruch Gottes besagt: »*qul mâ kuntu bid'an min al-rusul*« (sprich: ich bin nicht der erste unter den Gesandten). Der Qur'an selbst unterstreicht, dass vieles von seinem Inhalt nicht neu sei, weil die Grundsätze schon in den früheren Schriften enthalten seien. Ein weiterer Spruch Gottes besagt: »*inna hâdha lafi al-suhuf: suhuf Ibrâhîm wa Mûsà*« (Gewiss, dies ist die Essenz der Schriften: der Schriften von Abraham und Moses).

Wenn Jesus Christus kam, um die Thora des Moses zu bestätigen, so kam der Prophet Muhammad, um die Wahrheit der Lehren der Thora des Propheten Moses und des Evangeliums des Propheten Jesus (Jesus Christus) zu unterstreichen. In der Bibel (Mat. 5:17–20) wird von Jesus berichtet, dass er sagte: »*Denkt nicht, dass ich gekommen bin, das Gesetz oder die Propheten aufzulösen; ich bin nicht gekommen aufzulösen, sondern zu erfüllen. Denn ich sage euch wahrlich: Bis dass Himmel und Erde vergehen wird nicht vergehen der kleinste Buchstabe noch ein Tüpfelchen vom Gesetz, bis dass es alles geschehe ...* « . Im Qur'an heisst es von Gott (Sure 5:48): »*Wir liessen zu dir (Muhammad) die Schrift des Qur'an zur Unterstützung der Wahrheit der früheren Heiligen Schrift hinab kommen ...*«.

2 Muhammad ibn Ismail ibn Ibrahim al-Bukhari, Shahih Bukhari, S. 418, Hadith no. 3535. Vgl. Abd Moqsith Ghazali, Argumen Pluralisme Agama (Thema religiöser Pluralismus), Jakarta: KataKita 2009, 56.

Der Qur'an anerkennt auch, dass in der Thora und dem Evangelium Anleitung (zum Glauben) vorhanden sind. Gott spricht im Qur'an: »*Gewiss haben wir die Thora hinabgesandt (offenbart), die Anleitung (hudan) und Licht (nûr) enthalten*« (Sure 5:44). Im folgenden Vers heisst es: »... *Wir gaben ihm (Jesus) das Evangelium, das Anleitung und Licht enthält, welches die frühere Schrift, nämlich die Thora, erleuchtet und bestätigt. Es ist auch Anleitung und Unterweisung für diejenigen, die Gott achten*« (Sure 5:46). In seiner Erklärung zu Sura 2:2 erklärt der Exeget al-Qurthubi einige Ansichten der Gelehrten. Der Vers selbst lautet: »*In diesem Buch gibt es keinen Zweifel. Es ist Anleitung für diejenigen, die Gott fürchten*«. Unter den Kommentaren gab es einige, die meinten, mit »dem Buch« sei ein Buch gemeint, dass bereits vor dem Erscheinen Muhammads geoffenbart worden war, nämlich Thora und Evangelium, denn den Qur'an gab es damals noch nicht, zumindest nicht in der Form eines Buches.[3]

Mit diesen Hinweisen dürfte deutlich sein, dass der islamischen Gemeinschaft durchaus empfohlen werden kann zu glauben, dass es Schriften gibt, die ebenfalls von Gott den Propheten und Gesandten geoffenbart worden sind. Neben den Glaubensartikeln: Glaube an Gott, die Engel, die Gesandten, das Jüngste Gericht, Vorherbestimmung und Allmacht Gottes, glaubt die islamische Gemeinschaft zumindest an vier Schriften: Die Thora, die Moses geoffenbart wurde, den Psalter als Offenbarung an David, das Evangelium an den Propheten Jesus, und den Qur'an an den Propheten Muhammad. Dieses weist darauf hin, dass der Islam und die Glaubenslehren, die Muhammad verkündet hat, die Lehren der früheren Propheten fortführen. Aus diesem Grunde dürfen die Muslime den «Qur'an" nicht von den früheren Schriften isolieren, und auch darf «der Islam" nicht von den früheren Religionen getrennt werden. Die Beziehung zwischen Qur'an und den anderen Heiligen Schriften ist wie die zwischen Teile eines Körpers, um ein Wort aus dem Hadith zu gebrauchen (*ka al-jasad al-wâhid*).

Der Gott der Theologen

Die obigen Erklärungen weisen darauf hin, dass der Qur'an die Wahrheiten der früheren Heiligen Schriften stützt. Der Prophet Muhammad hatte kein negatives Urteil über den Propheten Jesus und die christliche Religion. Negative Ansichten über die Christen wurden erst offenbar, als die islamische und die christliche

[3] Al-Qurthubi, Al-Jâmi' li Ahkâm al-Qur'ân. Kairo: Dâr al-Hadîth 2002, Band I, 159.

Gemeinschaft in politische und ökonomische Auseinandersetzungen hinein gezogen wurden. Diese Auseinandersetzungen färbten dann auch die Kommentare, die die Gelehrten formulierten. Schliesslich polemisierten die islamischen Interpreten und die christlichen Theologen gegeneinander. Die Christen attackierten die Muslime mit christlichen Argumenten und Vorstellungen. Genauso geschah es umgekehrt. Die Muslime übten heftige Kritik an der christlichen Theologie und christlichen Überzeugungen auf Grund islamischer Massstäbe.

Über Jahrhunderte hinweg waren die Anhänger beider Religionen in nicht endenden Polemiken miteinander verwickelt. Im Buche von Olaf Schumann wird nachgezeichnet, wie diese Polemiken verliefen, beginnend in der klassischen Zeit bis in die Gegenwart. Insbesondere sind es zehn islamische Gelehrte, die Schumann auswählte, um ihre teils scharfe, teils zurückhaltende Kritik an der christlichen Theologie darzustellen. Ali at-Tabari schrieb ein Buch mit dem Titel: *Ar-Radd ʻalà n-Nasârà* (Widerlegung der Christen). In diesem Buche richtet Tabari heftige Kritik an die Christen, die seiner Meinung nach an vier Götter glauben: den Vater, den Sohn, den Heiligen Geist, und Jesus Christus. Nach der Meinung Tabaris, und dies ist auch die Meinung der Muslime, war Jesus bzw der »*nabî ʻÎsà*« ein Prophet und Gesandter Gottes an die menschliche Gemeinschaft. Jesus kann zu keiner Zeit die Stelle Gottes einnehmen. Einige Besonderheiten oder Wundertaten des nabi Isa bedeuten für Tabari nicht, dass er Gott sei. Denn auch andere Propheten besassen Besonderheiten, von denen Jesus die eine oder andere nicht besass. So bemühte sich Tabari mit aller Kraft und Argument um Argument, die Göttlichkeit Jesu zurückzuweisen.

Die Ablehnung der Göttlichkeit Jesu ist auch das Thema der anderen islamischen Theologen, wie etwa Ibn Hazm und al-Ghazali. Während Ibn Hazm das Problem der Kreuzigung Jesu abweist, weist al-Ghazali das Zentrum der christlichen Lehre, die Göttlichkeit Jesu, zurück. Dazu schrieb er ein Buch: *Ar-Radd al-jamîl li-ilâhiyyat ʻÎsà bi-sarîh al-Injîl* (Die schöne Widerlegung der Göttlichkeit Jesu durch die Erklärung des Evangeliums). Ghazali neigt dazu, nicht den Titel »Gottessohn« in Frage zu stellen, insofern er metaphorisch oder allegorisch gemeint sei. Die Beziehungen zwischen Gott und dem Propheten Jesus sind so eng, als ob Jesus Sein Sohn sei. Wenn jedoch der Ausdruck »Sohn« im natürlichen und nicht im übertragenen Sinne gemeint sei, dann lehnt al-Ghazali ihn ab. So kritisiert al-Ghazali die christliche Theologie auf sanfte Weise.

Solche dogmatische Polemik hat es nicht geschafft, die Gegensätze zu überwinden. Argumente mögen ihre Zeit haben, doch was tatsächlich passierte, ist, dass die theologischen Debatten aus dem Nahen Osten von einigen Muslimen nach Indonesien importiert und dort wortgetreu kopiert wurden. Zu nennen sind Ahmad Shalabi, Hashbullah Bakry, Djarnawi Hadikusumo und Hashem.[4] Dutzende von Büchern wurden von Muslimen geschrieben, um die christliche Theologie zu kritisieren. So scharf wie ihre Polemiken waren die Antworten verschiedener christlicher Verfasser. Besonders kontrovers war das Buch von F.L. Bakker, *Tuhan Jesus dalam Agama Islam* (Der Herr Jesus im Islam). Er schrieb, dass sich die islamische Gemeinschaft in der Finsternis befinde und im Islam keine untrügliche Wahrheit zu finden sei. Hamran Ambrie bestritt u.a. die Meinung der Muslime, dass es im Neuen Testament Hinweise auf das Erscheinen Muhammads gäbe. Um die islamischen Lehren zu widerlegen und die christlichen Lehren zu erhärten, hat er nicht weniger als 18 Bücher geschrieben.[5]

In diesem Zusammenhang bleibt nur festzustellen, dass islamische und christliche Theologen viel Energie aufwandten und Zeit verbrauchten, um ihre ermüdende Polemik zu betreiben. Doch ist es klar und deutlich, dass Polemiken über das Göttliche nie am Verhandlungstisch beendet werden konnten. Debatten über Glaubensfragen werden nicht zum Abschluss gebracht, indem die Seiten Heiliger Büche geöffnet werden. Im Islam selbst ist es nicht einfach, scharfe Meinungesunterschiede über das Göttliche zu überwinden. Das Konzept von Imam Abu al-Hasan Ash'ari über das Göttliche ist verschieden vom Konzept über das Göttliche, das Imam Abu Mansur al-Maturidi vertritt. Ja, selbst zwischen al-Ash'ari und der nach ihm benannten Schule, der Ash'ariyya, und desgleichen zwischen al-Maturidi und der Maturidiyya, gibt es erhebliche Unterschiede in den Definitionen des Göttlichen bzw. dem Verständnis Gottes.[6] Und doch sind sie alle sunnitische Theologen. Ganz zu schweigen von den Unterschieden zwischen den sunnitischen Theologen und denen der Mu'tazila und der Shi'a. Wenn sich schon die innerislamischen Unterschiede nicht harmonisieren lassen, um wieviel weniger diejenigen zwischen islamischem und christlichem Gottesverständnis.

[4] Näher über die theologische Polemik zwischen Christen und Muslimen in Indonesien informieren Ismatu Ropi, Fragile Relation – Muslims and Christians in Modern Indonesia, Jakarta: Logos 2000. Ebenfalls: John Asihua, Tema-Tema Pokok Tulisan-Tulisan Bernada Polemik dari Pihak Islam terhadap Pihak Kristen die Indonesia (Hauptthemen in polemischen, von Muslimen gegen Christen geschriebenen Büchern), Jakarta: STT Jakarta, 1996.

[5] Jan Aritonang, Sejarah Perjumpaan Kristen dan Islam di Indonesia (Geschichte der Begegnung von Christentum und Islam in Indonesien), Jakarta: BPK Gunung Mulia 2004.

[6] Die Ash'ariyya und die Maturidiyya sind die beiden im sunnitischen Islam anerkannten theologischen Schulen (Anm. d. Ü.)

Dies bedeutet, dass das Problem des Gottesverständnisses letztlich ein sehr personales und individuelles Problem darstellt. Jeder Mensch hat seine eigenen, von anderen verschiedenen Erfahrungen mit Gott. Der Eine wird nicht unbedingt dieselben Erfahrungen machen wie der Andere. Kommt hinzu, dass das menschliche Wissen über Gott stets nur ein begrenztes Wissen sein kann, kein vollkommenes oder alles umfassendes Wissen. Der durch verschiedene Faktoren bedingte und begrenzte Mensch kann nicht das unbegrenzte und absolute Meer des Wesens Gottes durchmessen. Das menschliche Konzept von Gott ist nicht Gott selbst. Mit anderen Worten: Der Große Gott kann nicht von dem kleinen Menschen definiert werden.

Der Gott der Sufis (Mystiker)

Die Spannungen um die Gottesfrage werden schliesslich in den Händen der Sufis geschmeidiger. Anders als die Theologen, die ihre Ansichten über Gott mit Hilfe des Verstandes und der Aussagen in den Heiligen Schriften formulieren, sprechen die Sufis über Gott aus dem Herzen und dem Gewissen heraus. Der große Mystiker Jalaluddin Rumi sagte in einem seiner Gedichte: *Die Schrift der Sufis besteht nicht aus Tinte und Buchstaben. Das gibt es nicht bei ihnen. Was es gibt, ist ein Herz, weiss wie Schnee.* In einem Gebet sinniert Rumi: *Ya, Gott, gib den Menschen eine Eingebung, auf dass sie in ihrem Sprechen keine Buchstaben gebrauchen.* Ferner: wenn der Gott der Theologen dazu neigt, isoliert und exklusiv zu sein, dann ist der Gott der Mystiker weitherzig und offen. Aus diesem Grunde fällt es den Sufis leichter, die Anwesenheit anderer zu ertragen, auch wenn deren Glauben ein anderer ist als der eigene.

Muhyuddin Ibn Arabi, ein anderer großer Mystiker aus dem Mittelalter, sagte:

> Ich hatte mich einst von einen Verwandten entfernt,
> Weil mein Glaube ein anderer ist als seiner.
>
> (Doch) jetzt ist mein Herz offen,
> Es nimmt alle (religiösen) Formen an,
> Die grüne Wiese für die Hirsche,
> Den Tempel für die Götzenbilder

Die Kirche für die Pfarrer,
Die Ka'ba für diejenigen, die sie umkreisen,
Die Rollen der Thora,
Die Seiten des Qur'an.

Ich trinke die Religion der Liebe,
Wohin auch immer sie segelt.
Die Liebe zu ihr
Ist meine Religion und mein Glaube.

Ähnliche Gedanken haben auch andere Darwische wie Ibn al-Farid, Fariduddin Attar, Sayed Hosen Nasr[7] gehabt. Meiner Meinung nach sollten solche Gedanken der Sufi-Philosophen als intellektuelles Kapital benutzt werden, um Harmonie unter den Religionen zu knüpfen, und zwar nicht nur in Indonesien, sondern auch in anderen Ländern. Seyyed Hosen Nasr sagte einmal, dass die Mystik im Islam als Schlüssel dazu dienen könnte, um den Zugang zu gehaltvollen interreligiösen Begegnungen zu öffnen.

Inmitten der Wüste der Spannungen zwischen den verschiedenen religiösen Gemeinschaften in der Welt ist das, was die Mystiker vortrugen, wie eine Oase. In einer Sammlung von Aussprüchen Rumis, die unter dem Titel *Fihi ma fihi* (Sein Inneres, das in ihm ist) bekannt sind, gibt es eine Geschichte über einen Nicht-Muslimen, der darüber weint, dass er in dem Überfluss nichtiger und nicht endender Worte und Aussprüche seines Lehrer zu versinken drohe. Ein Schüler fragt, wie das möglich sei. Darauf antwortet der Lehrer: *Jeder Mensch bekennt die Einheit Gottes. Es gibt viele Wege, die zur Ka'ba führen.* In einem seiner Gedichte sagt Rumi: *Jeder Prophet und jeder aufrechte Mensch hat seine eigene Art und Weise, doch alle führen zum Herrn. In Wirklichkeit sind alle Arten und Weisen nur eine.* In einem anderen Gedicht geht Rumi noch weiter und sagt:

Was ist zu tun, oh ihr Muslime,
Denn ich kenne mich nicht selbst.
Ich bin kein Christ, auch kein Jude,
Kein Magier, noch ein Muslim.
Ich bin nicht im Osten, auch nicht im Westen,
Weder auf dem Lande, noch im Meer
Bin nicht von der Welt, noch von dem Himmel, der sich oben dreht.
Ich bin weder aus Erde noch aus Wasser gemacht, weder aus Wind noch aus Feuer.

[7] Andere Schreibweise: Syed Hossein Nasr, persischer Literat in der 2. Hälfte des 20. Jh.s, der vorwiegend in den USA lehrte (Anm. d. Ü.).

In Indonesien sind viele Intellektuelle, die sich dem interreligiösen Dialog zuwenden, von diesen Sufi-Philosophen inspiriert. Zu ihnen gehörte Nurcholis Madjid und Abdurrahman Wahid, beide unter ihren Freunden als Cak Nur und Gus Dur gekannt, sowie Djohan Effendi, Komaruddin Hidayat, Kautsar Azhari Noer, Said Agil Siradj. Cak Nur hat Dutzende von Artikeln und etliche Bücher darüber geschrieben, wie gesellschaftliche Harmonie, auch unter Muslimen und Christen, aufgebaut werden könnte. Indem er sich auf die Heilige Schrift (den Qur'an) und die Geschichte bezog, hoffte er, dass Friedfertigkeit und Zusammenarbeit unter den Religionsgemeinschaften verwirklicht werden können, ebenso Gus Dur. Indem er seinen guten Namen und seine Position aufs Spiel setzte, schützte er, ohne sich von Zweifeln plagen zu lassen, verschiedene Minderheiten in diesem Lande. Wegen dieses Einsatzes wurde er verhöhnt und verächtlich gemacht von jenen Gruppen, die keine Friedfertigkeit wünschen. Dabei verwies Gus Dur auf den Spruch: die Hunde bellen, aber die Karawane zieht weiter ihres Weges.

Oliver Herbert, **Todeszauber und Mikroben.** Krankheitskonzepte auf Karkar Island, Papua-Neuguinea, Berlin: Dietrich Reimer Verlag 2011, 352 S., EUR 39,00.

Die Überzeugung, dass Menschen andere Menschen krank machen können, gilt in vielen Kulturen. Auch auf Karkar, einer dem Festland von Papua Neuguinea vorgelagerten Insel, wird diese Prämisse kulturspezifisch bearbeitet. Während naturwissenschaftlich orientierte Schulmedizin Mythologie, Magie und Transzendenz aus ihren Erklärungsmodellen von Krankheit weitgehend ausschließt, ist das im Verständnis der Bewohner dieser Insel anders. Empfundenes Kranksein ist auf Karkar – wie anderswo – ein »bedeutungsbeladenes kulturelles Konstrukt« (7). Die Bevölkerung der Insel hatte zwar seit Ende des Zweiten Weltkrieges durch die Arbeit eines kleinen, hoch angesehenen Regionalkrankenhauses Zugang zu westlicher Medizin, gleichwohl setzt ein großer Teil der Bevölkerung nach wie vor auf traditionelle Diagnostik und entsprechende Heilverfahren. Das schulmedizinisch geprägte Personal in der Klinik nimmt davon wenig wahr. Diese Beobachtung hat den Autor, der dort mehrfach als Arzt praktizierte, zu dieser ethno-medizinischen Studie motiviert.

Um interkulturell divergente Krankheitskonzepte zu erfassen, verbindet Herbert Daten aus ethno-soziologischer Feldforschung mit epidemiologischen Beobachtungen der Schulmedizin, die er als Biomedizin bezeichnet. Sie spürt den ›Mikroben‹ als Krankheitsverursachern nach, die indigene Bevölkerung hingegen mutmaßlichen Verwünschungen! Um die Binnensicht der Bevölkerung repräsentativ zu erfassen, eben das, was ›jedermann‹ zu diesem Problemkomplex zu sagen weiß – befragt er in 356 standardisierten Fragebögen 14–18 jährige Schülerinnen und Schüler. Dies Material wird signifikant ergänzt durch Ergebnisse aus 217 offenen Erzählinterviews mit Erwachsenen, etwa hälftig Frauen und Männern. Die Antworten der Respondenten werden namentlich, in wörtlicher Übersetzung, oft mit Beigabe des Originaltextes in Pidgin wiedergegeben.

Die Arbeit hat zwei Teile. Der erste, »allgemeine« Teil (2–146) erläutert die Leitfragen der Studie, skizziert das Weltbild der Insulaner und erörtert allgemeine Vorstellungen von Gesundheit und Krankheit. Der zweite, »spezielle« Teil (148–306) gibt einen detaillierten Überblick über Hauptarten der Zauberei, ihre Veranlassungen, ihre Akteure sowie die Bewertungen des Zauberwesens in der einheimischen Bevölkerung, schließlich einschlägige staatliche Gesetzgebungen. Die umfangreiche Bibliographie, ein detaillierter Index und ein Bildanhang rücken die Studie in die Nähe eines Nachschlagewerkes.

Zu Teil 1: Die Ausstattung der religiösen Vorstellungswelt, mit der wichtigen Unterscheidung der zum Dorf gehörenden Geister der Verstorbenen (*tambaram*) und der Klasse der Land, See und Wald beschützenden Mächte (*mas(s)alai*) wird im Umriss vorgestellt. Terminologische Überlappungen, teilweise Widersprüchlichkeiten, die auf mangelnde Kenntnis der Befragten oder Unstimmigkeiten und Brüche, wie die Volksreligion sie immer zulässt, beruhen mögen, werden notiert und das Prinzip der Reziprozität, das die Beziehungen zwischen Menschen und diesen Mächten regiert, skizziert.

Der Verfasser stellt als Zwischenergebnis heraus, dass die indigene Bevölkerung zwischen ›natürlichen‹ und ›transzendenten‹ bzw. übernatürlichen Krankheitsursachen unterscheidet (127ff). ›Übernatürlich‹ charakterisiert jene Wesen und Mächte, deren Fähigkeiten über die Fähigkeiten ›normaler‹ Menschen hinausgehen und ›transzendent‹ das, was »über das Natürliche hinausgeht« (30). Oliver Herbert stellt klar, dass Menschen, Tiere, Pflanzen und Geister im Gewebe dieser einen Welt, in einer einzigen Realität interagieren. Die Menschen verlassen sich auf empirisch gewonnene Erkenntnisse einerseits und auf durch Traumoffenbarung oder Tradition vermitteltes Wissen andererseits. Indigene Krankheits- und Gesundheitsdefinitionen stehen keineswegs im Widerspruch zu westlich-biomedizinischen, wohl aber die indigenen Verfahren des In-Ordnung-Bringens. Ambivalenzen dieser Verfahren, negative Ergebnisse und irregeleitete Therapien indigener Heilversuche werden notiert und von divinatorischen Verfahren der ›Geistheiler‹ unterschieden (63).

Übernatürliche Krankheiten werden auf Verletzung von Verhaltensregeln, von Herbert zusammenfassend wohl etwas überscharf als Normbruch bezeichnet, zurückgeführt. Störungen des sozialen und kosmischen Beziehungsgefüges machen krank. Dieser Annahme entsprechen die indigenen Heilverfahren als Beseitigung von Unordnung. Auf dem Weg vom Symptom zur Erarbeitung der Bedeutung einer Erkrankung wird ein Netz von Kausalzusammenhängen geknüpft, in das ›weltliche‹ und ›transzendente‹ Prämissen einfließen. Die Bedeutung gebenden Verknüpfungen mögen aus der Perspektive einer naturwissenschaftlich orientierten Medizin wie »rein zufällig« erscheinen (57), entbehren unter Voraussetzung anderer Prämissen aber nicht einer kontextspezifischen Plausibilität (58).

Zu Teil II: Herberts Hauptinteresse gilt dem indigenen Zauberwesen. Traditionelle Heilverfahren werden gestreift, aber nicht im Detail vorgestellt. Zur Frage möglicher Krankheitsverursacher rekonstruiert der Verfasser aus dem Material seiner Respondenten das indigene Klassifikationsschema. Auf üble Nachrede, Gerüchte, Klatsch, Verwünschungen von Familienangehörigen oder Nachbarn zurückgeführte Erkrankungen werden unter der Bezeichnung *i gat tok* geführt. *Sik bilong tambaram*, anderswo auch als *tewelsik* bezeichnet, wird Sanktionen der Verstorbenen zugeschrieben. Die beschützenden Geister des Landes, des Waldes etc beteiligen sich mit *sik bilong masalai*. Hinter *posen* , wie ich vermute, nicht vom englischen Poison, sondern von ›Portion‹ abgeleitet, verbirgt sich eine Palette von Verfahren, die mit oder ohne Zuhilfenahme von Dingen wie Essensresten, Haaren etc. der prospektiven Opfer, auch pulverisierter Knochen Verstorbener, schließlich auch Giften ausschlaggebend auf die destruktive und weit reichende Kraft des Wortes setzen, kurz schwarze Magie. Dies Deutungsschema entspricht *grosso modo* den Befunden aus anderen Gebieten in Nordostneuguinea. Schadzauber (*posen*) wird für gefährlicher als *tewelsik*, und schwarze Magie für gefährlicher als die den Toten oder den beschützenden Geistern des Landes zugeschriebenen Schädigungen gehalten. Furcht vor Zauberei und ein Glaube an die Effizienz von Zauberei in all ihren Varianten ist gesamtgesellschaftlich verankert. Nur wenige Menschen sind der Zauberei gegenüber »unbekümmert« (165).

Diesem Schema entsprechend gilt es, die Verursachung der jeweiligen Beeinträchtigung auszuloten, ein delikates Unternehmen, weil sich Krankheitssymptome nicht verlässlich bestimmten indigenen Typisierungen zuordnen lassen. Als Auslöser kommen Zwist im sozialen Nahbereich, Vernachlässigung von Verpflichtungsverhältnissen, Nichtbeachtung von Tabuzonen, Missachtung der von den Toten hinterlassenen Regeln, nicht zuletzt (!) Neid auf materielle Güter und soziales Fortkommen der Anderen infrage, also Versuche, soziale Ausreißer durch Schadzauber unter Kontrolle zu halten. Unterlassungen, Vergehen und ein Aus-der-Rolle-Fallen, all dies kann Anlass sein, unterschiedliche Verfahren in Gang zu setzen, die darauf zielen, den Lebensnerv der Beschuldigten zu treffen. Schadzauber ist in allen seinen Varianten also eine Form der Vergeltung, die offene Gewalt und direkte Konfrontation vermeidet, in einer Atmosphäre der Verdächtigung, in einem Geflecht von Animositäten gleichwohl gedeiht. Jeder ist ein potentieller Akteur. Ungeachtet seiner Verbreitung wird der Schadzauber, Herbert zufolge, von den Befragten als zerstörerisch und antisozial gewertet, als Gefahr für Leib und Leben gefürchtet.

Schlimmer als *posen* und strikt von *posen* zu unterscheiden, ist *sang(g)uma*, in Motu *vada* genannt, von Herbert als »gewalttätige Zauberei mit dem Einführen von Fremdkörpern in den Menschen als »Insertionsmagie« bezeichnet (251ff). *Sanguma* bezeichnet sowohl den Akt als auch die Täter. Sie sind in Geheimbünden organisiert und arbeiten als professionelle Auftragnehmer gegen Honorar.

Herberts Diskussion der Frage, was genau bei diesen *Sanguma* Überfällen geschieht, beschränkt sich wesentlich darauf, die Verbatims von Respondenten und anthropologischen Seitenreferenten zu zitieren. Die Auskunft zur »Realität von Sanguma Handlungen« (257, 259) bleibt vage. Das hängt m.E. damit zusammen , dass der Begriff eine Bandbreite von Phänomenen abdeckt: Traditionell reichen sie von ›Bushhysterie‹, Tötung durch Hypnose bis hin zu Ritualmorden, bei denen den Opfern tatsächlich die Flügelknochen fliegender Hunde, vergiftete Bambusfäden oder Ähnliches in den Anus, die Venen oder unter die Zunge geschoben werden, der Typ also, den Herbert im Auge hat und mit »Insertionsmagie« bezeichnet. Berichte, dass die *Sanguma* sich unsichtbar machen, ihrem Opfer im Walde auflauern, ihm die ›Leber‹ oder andere lebenswichtige Organe entnehmen, dann deren Leib, ohne sichtbare Narben zu hinterlassen, wieder verschließen, lässt er unkommentiert stehen. Meines Erachtens handelt es sich dabei um metaphorische Rede. Feinde in der Nähe ko-optieren namenlos und unsichtbar bleibende Täter aus der Ferne, die sich darauf verstehen, die Lebenskraft ihrer Opfer von einem Tag auf den anderen zu vernichten. *Sanguma* ist eine *a posteriori* gegebene Erklärung für ebenso plötzlichen wie unerklärlichen Tod. Die Ausdehnung sozialer Aktionsräume dürfte dazu beitragen *sanguma* Ängste zu intensivieren und *sanguma* Praktiken zu ›modernisieren‹. Anders als Herbert meine ich, dass Stewarth/Strathern's Vorschlag, von »assault sorcery« zu sprechen, mehr Raum für die unter *sanguma* subsumierten Phänomene lässt.

Sobald Herbert sein Augenmerk auf die gesundheitlichen Auswirkungen der Zauberei richtet und damit zur Gretchenfrage an die Biomedizin kommt (276ff), zeigt sich, dass neben der Erschließung der systeminternen Logik indigener Verursachungshypothesen die eigenen Grundannahmen des Biomediziners für die Wahrnehmung dessen, was der Fall ist, zum Tragen kommen. Der Verfasser führt mehrere, auch medizinische Seitenreferenten an für die Annahme, dass Zauberei töten kann, möglicherweise auch durch »Suggestion«, durch Schock und Stress. Für deren Folgen schlägt Herbert den Begriff »Thanatodepression« vor (277), findet aber die Annahme, dass ein Mensch aus anscheinend völliger

Gesundheit binnen einem Tag bis zwei Wochen ohne erkennbaren Grund plötzlich sterben kann »biomedizinisch … schwierig« (278). Chronische Erkrankungen in psychosomatische Erklärungszusammenhänge einzuzeichnen – hält er biomedizinisch gesehen hingegen für möglich. Für plötzlich auftretende Schwellungen der Lymphknoten, im Mund oder Bauchbereich, die gern einem übernatürlichen Verursacher zugeschrieben werden, legen sich aus schulmedizinischer Sicht allerdings oft andere Erklärungen nahe – z.B. Betelnuss-Abusus oder eine Milzvergrößerung infolge chronischer Malaria.

Die nahe liegende Frage, ob sich schulmedizinische Diagnostik und indigene Vorstellungen von Schadzauber und Wirken der Geister als Verursacher von Krankheit, sowie traditionelle Praktiken zur Behebung von Krankheit und Leid in einen übergeordneten, gemeinsamen Verstehenszusammenhang einzeichnen lassen, bleibt offen.

Wenn der Biomediziner und Ethnologe den Befragten zugesteht, dass Erkrankung und Leiden, Gesundwerden oder Sterben als Bewährungsfelder nicht nur für medizintechnische Interventionen zu verstehen sind, bleibt die Frage, wie mit den Beschuldigungspraktiken, auf denen die indigene Diagnostik beruht, umzugehen wäre. Sie beansprucht ja, unsichtbare Mächte als Verursacher von Krankheit ermitteln und sichtbar machen zu können. Auf Beschuldigungspraktiken kann sie nicht verzichten. An dieser Stelle wäre das Gespräch mit der Ethnopsychoanalyse, der Religionswissenschaft und der Interkulturellen Theologie aufzunehmen. Herberts genau dokumentierte und durchaus auch als Handbuch geeignete Studie bietet diesen Disziplinen geeignete Anknüpfungspunkte. Wenn Krankheit und Unglück regelhaft in einen Tun-Ergehenszusammenhang eingezeichnet werden und so eine Spirale der Gewalt freisetzen, dann bedürfen die Schuldzuweisungen einer Prüfung, die auch Kriterien geltend macht, die jenseits der Realitätsannahmen und jenseits der moralischen Codes liegen, die die traditionelle Weltsicht bereitstellt.

Theodor Ahrens

Fridz Pardamean Sihombing, **Versöhnung, Wahrheit und Gerechtigkeit.** Die ökumenische Bedeutung der Barmer Theologischen Erklärung für den Weg der Kirchen in Indonesien, Neukirchen-Vluyn: Neukirchener Verlag 2007, 263 S., EUR 34,90.

Unsere Zeit ist eine andere als die der 1930er Jahre, als in Deutschland NS-Regime und Bekennende Kirche miteinander rangen. Dass sich Kirchen auch heute vielerorts gegen Übergriffe des Staates zur Wehr setzen müssen, ist aber leicht aufzuweisen. Können die in Barmen 1934 formulierten evangelischen Wahrheiten auch Christen anderer Kirchen heute helfen, gegenüber dem Eingreifen staatlicher Stellen auf der Hut zu sein? Die Dissertation von F.P. Sihombing möchte von systematisch-ethischen Ansätzen der jüngeren deutschen Theologiegeschichte her und im Hören auf die Theologien Karl Barths und Dietrich Bonhoeffers Orientierungspunkte für die Situation der Kirchen in Indonesien gewinnen. Von diesem Ziel her setzt er die einzelnen Artikel der Barmer Theologischen Erklärung in Beziehung zu der indonesischen Staatsphilosophie Pancasila, dem Kampf um menschliche Gerechtigkeit sowie dem Dialog mit dem Islam in seinem Heimatland. Das in diesen Zusammenhängen Geleistete verdient in vieler Hinsicht Anerkennung und positive Würdigung. Den akademischen Mentoren Prof. Berthold Klappert in Wuppertal sowie Professor Christian Link in Bochum verdankt der Doktorand für den deutschen Kontext eine hilfreiche Begleitung und grundlegende Einführung in theologische und ethisch-politische Themen unserer jüngeren Geschichte.

Die Argumentation gerät allerdings in eine Schieflage, wo der Verfasser versucht, Erkenntnisse aus den Auseinandersetzungen zwischen dem NS-Regime und der Bekennenden Kirche in Deutschland auf die jüngste Auseinandersetzung zwischen Repräsentanten seiner Heimatkirche und Institutionen des indonesischen Staates zu übertragen. Die Haltung der Staatsmacht gegenüber der Batak-Kirche (HKBP) in den Jahren 1992–1998 findet nämlich keine Parallele in der Haltung der Regierung gegenüber der großen Zahl anderer indonesischer Kirchen. Anders als das NS-Regime in Deutschland war die Politik der Suharto-Regierung keineswegs auf eine generelle Machtübernahme in den Kirchen des Landes gerichtet. In der Batak-Kirche wurden die Konflikte – es waren Leitungskonflikte am Ende der Amtszeit von Ephorus Dr. S.A.E. Nababan – jedoch so chaotisch und gravierend, dass die kirchliche Opposition staatliche Stellen um ein Eingreifen bat. Die Beteiligten hatten sich so ineinander »verbissen«, dass die synodalen Strukturen keine Lösung mehr hergaben. So gibt es gute Gründe, den Konflikt in der HKBP von dem Kirchenkampf in Deutschland zu unterscheiden.

In der Darstellung des Konflikts in der HKBP haften der Dissertation zahlreiche Unzulänglichkeiten an. Der Konfliktverlauf hätte detaillierter und weniger einseitig dargestellt werden müssen. Die Handlungen und Maximen der so genannten regierungskritischen Partei hätten einer selbstkritischeren Wahrnehmung bedurft. Die Untersuchung bewegt sich stark innerhalb der argumentativen Legitimationsfiguren nur *einer* der Konfliktparteien. In einer Dissertation, die mehrere Jahre nach Beendigung des Konflikts erschien, durfte man da mehr Objektivität erwarten. Dies wird von anderen indonesischen Autoren jüngst auch explizit formuliert, zum Beispiel in der HKBP-Festschrift zum 150. Jubiläum der Kirche mit dem Titel »Lahir, Berakar dan Bertumbuh di dalam Kristus (Geboren werden, verwurzelt sein und wachsen in Christus)«, Tarutung 2011. Über die Wuppertaler Dissertation schreiben die Verfasser, dass F.P. Sihombing zwar versuche, das Eingreifen der Regierung während der Krise der HKBP zwischen 1992 und 1998 angemessen darzustellen, seine Leser in der Untersuchung aber nicht finden, was damals objektiv geschah. Es wird unterstrichen, dass eine breitere historische Aufarbeitung dieses Konflikts aufgrund von Stellungnahmen, Büchern und anderen Dokumenten bereits leicht möglich gewesen wäre, der Verfasser dieser Dissertation historische Fakten jedoch nur entsprechend seiner subjektiven Einschätzung heranzieht (340). Dieses Monitum kann ich aus meiner Kenntnis der Quellen- und Forschungslage nachdrücklich unterstreichen. Der Wille, theologische Einsichten der deutschen Geschichte in das ökumenische Gespräch einzubeziehen, wird auch in Zukunft nur bei einer genaueren Kenntnis und Berücksichtigung des spezifischen Kontextes fruchtbar sein können.

Dieter Becker

Tanja Hammel, **Lebenswelt und Identität in Selbstzeugnissen protestantischer Missionsfrauen in Britisch- und Deutsch-Neuguinea, 1884–1914** (= Studien zur Geschichtsforschung der Neuzeit, Bd. 68), Hamburg: Verlag Dr. Korvač 2012, 206 S., EUR 65,00.

»Die komparative Herangehensweise wirkt auf den ersten Blick etwas gewagt« (8), so leitet Hammel ihre Untersuchung ein. In der Tat erscheint das Unternehmen, die Tagebuchaufzeichnungen von drei englischen methodistischen Schwestern und drei deutschen Missionarsfrauen vergleichend zu untersuchen, unorthodox und stellt die Frage nach der Vergleichbarkeit. Doch der Autorin, die hier ihre am Historischen Seminar der Universität Basel geschriebene überarbeitete Masterarbeit vorlegt, schert die Missionsfrauen nicht über einen Kamm, sondern unterstreicht vielmehr Besonderheiten der »Berufs«-Gruppen wie auch jeder einzelnen Frau.

Haben sich Studien zu Missionsfrauen bislang auf bestimmte Missionsgesellschaften oder Einzelbiographien konzentriert, so liegt eine Besonderheit dieser Veröffentlichung darin, dass sie den Horizont einer Missionsgesellschaft sowie den von Konfession und Nationalität überschreitet. Eine weitere Besonderheit liegt in der Konzentration auf Tagebüchern als Quellenmaterial. Ein drittes Spezifikum bildet das der historischen Anthropologie entlehnte Verständnis der Missionsfrauen als Konstrukteurinnen ihrer Lebenswelt und Identität. Hammel möchte wissen, wie die Missionsfrauen in ihren Tagebuchaufzeichnungen ihre Lebenswelt beschreiben und darin ihre Identität konstruieren.

Die Studie ist nach Einleitung, Kontextanalyse, Quellen- und Forschungsüberblick (Kapitel 1 und 2) in drei Hauptteile gegliedert. Im ersten (Kapitel 3) untersucht Hammel die »Lebensweltdeskription und Selbstdarstellung« in den Tagebüchern der englischen Schwestern der Australian Wesleyan Methodist Missionary Society (AWMMS): Jane Tinney (1867–?), Eleanor Walker (1861–1940) und Minnie Billing (1869–1901).

Unter derselben Forschungsfrage konzentriert sich der zweite Hauptteil (Kapitel 4) auf die deutschen Missionarsfrauen, die aus unterschiedlichen Missionsorganisationen kamen: Johanna Fellmann (1876–1962) war Ehefrau des einzigen deutschen Missionars der AWMMS, Heinrich Fellmann. Justine Vetter (1874–1922) reiste über die Neuendettelsauer Mission aus, Johanna Diehl (1881–1946) über die Rheinische.

Der dritte Hauptteil (Kapitel 5) vergleicht die Lebensweltdeskriptionen miteinander. Schlussfolgerungen (Kapitel 6) fassen die Ergebnisse zusammen und benennen Forschungsdesiderate. Die Bibliografie (Kapitel 7) enthält u. a. ein Quellenverzeichnis mit ungedruckten Quellen aus dem Archiv der Vereinigten Evangelischen Mission, Wuppertal-Barmen, dem Archiv von Mission EineWelt, Neuendettelsau, Archiven in Australien sowie aus Privatnachlässen. Der Anhang (Kapitel 8) umfasst Karten, Kurzporträts, einen chronologischen Überblick u. a.

Wer sich auf die komparative Herangehensweise einlässt, wird überrascht, beispielsweise davon, wie sehr das Tagebuchschreiben Spiegel der Identitätskonstruktion war: Die Schwestern waren verpflichtet, ein Tagebuch zu führen. Auszüge daraus wurden in The Australasian Methodist Missionary Review (AMMR) publiziert und dafür zensiert. Daher berichteten die Schwestern im Tagebuch den Leser(inne)n Wissenswertes aus dem »Missionsfeld«, präsentierten die Mission als Erfolgsgeschichte und sich selbst als »ambitiöse Arbeiterinnen«. Hinweise auf Krankheiten und Schwierigkeiten sind selten. Die Missionarsfrauen hingegen, die ihre Kinder als zukünftige Leser(innen) vor Augen hatten, schildern häufig Krankheiten, Sorgen und Befürchtungen und präsentieren sich in »umgekehrter Heroisierungsstrategie« als Leidende und Kämpferinnen (162).

Überraschend und bislang wenig erforscht ist auch, wie viel die Missionsfrauen von ihrer Lektüre berichten und wie sehr sie davon beeinflusst werden. So hat »Onkel Toms Hütte« beispielsweise Johanna Fellmanns Einstellung zur autochthonen Bevölkerung sichtbar beeinflusst.

Einen Schwerpunkt legt Hammel auf soziale Netzwerke/»imagined communities«. Die Tagebuchaufzeichnungen zeigen enge Beziehungen zu Mit-Schwestern, freundschaftliche Kontakte zwischen Missionarsfamilien, ein häufig distanziertes Verhältnis zu Kolonialbeamten und eine teilweise freundschaftliche, aber trotzdem hierarchische Beziehung zur Bevölkerung. Es existieren unterschiedliche Grade von Differenz, bestimmt durch die Identitätsmarker Rasse, Klasse/sozialer Status und Nationalität, aber auch abhängig von geographischer Nähe, Häufigkeit des Kontakts und Sprache. Hammels Einbeziehung sozialer Netzwerke zeigt, wie wichtig und in der Missionsgeschichtsforschung bisher vernachlässigt der Bereich »communitas« (Victor Turner) ist – mit seinen Fragen, welche Rolle die Zugehörigkeit zu einer Gruppe, bestimmten Werten, die Abgrenzung von anderen etc. spielen.

Ein Thema, das in der Frauengeschichtsforschung häufig auftaucht, ist die Frage, inwiefern Missionsfrauen als emanzipiert gelten können. An diesem Punkt scheint die Studie mit der Unterscheidung »emanzipierte berufstätige Schwestern« und »voremanzipierte Missionarsfrauen« stereotypen Zuschreibungen zu folgen.

Die Veröffentlichung gewinnt auch durch die abgedruckten Fotos, die laut Autorin für die Untersuchung der Identität der Frauen unumgänglich sind. Was jedoch hier wie bei anderen Forscher(inne)n fehlt, ist ein methodischer Ansatz der Bildanalyse. Es wäre wünschenswert, wenn im Zuge zunehmender Interdisziplinarität auch im Blick auf die Verwendung von Bildern der eigene Forschungs- und Interpretationsansatz sorgsamer reflektiert würde.

Fazit: Das Buch ist spannend, anregend und unkonventionell-innovativ. Es trägt dazu bei, die Randständigkeit der Frauen in der Geschichtsforschung zu überwinden und Geschichte neu zu schreiben als Geschichte der Teilhabe mit dem Fokus auf Alltagsgeschichte. Man/frau kann gespannt sein auf das nächste Werk von Hammel, denn sie arbeitet gegenwärtig in Basel im Fach Geschichte an einer Promotionsschrift über die Naturhistorikerin Mary Elizabeth Barber (1818–1899), die von England aus 1820 mit den ersten Siedlern nach Südafrika auswanderte und in Kontakt mit Charles Darwin und anderen berühmten Persönlichkeiten stand.

Claudia Jahnel

Rosmarie Gläsle, **Wegerfahrungen am Bambusvorhang.** Leben im Wechselspiel der Kulturen. Eine autobiographische Erzählung. Neuendettelsau: Erlanger Verlag für Mission und Ökumene 2013, 178 S., EUR 15,00.

»Bambusvorhang« ist gemeinhin die Bezeichnung für die Grenze zum kommunistischen China – entsprechend zum »Eisernen Vorhang« quer durch Europa. In Gläsles »Leben im Wechselspiel der Kulturen« ist es die Grenze zwischen der chinesischen und der deutschen Kultur. Für sie ist es ein Privileg, als Kind von Basler Missionaren in China von 1937 bis 1949 gleichzeitig in zwei Kulturen aufgewachsen zu sein und sich in beiden heimisch zu fühlen

– als chinesische »Sumoi« (Pflaumenblüte) und als deutsche Rosmarie. Von Jugend an wurde sie in Respekt gegenüber den Riten und konfuzianischen Traditionen der Hakka erzogen, in die sie ihre Leser mitnimmt und einführt. Allerdings hat ihr Respekt ein Ende, wo es um die Lage von Mädchen und Frauen in der chinesischen Gesellschaft geht. Deren Missachtung bis hin zur Ermordung empörte sie früh.

Mit zwölf Jahren kam sie nach Deutschland, »in die Fremde«. Hier beendete sie ihre Schule, wurde zur Gemeindehelferin ausgebildet und war in mehreren württembergischen Gemeinden tätig. Doch es zog sie zurück nach China, das Land ihrer Kindheit. Das Land war inzwischen geteilt, die Basler Mission entsandte sie nach Hongkong und sie arbeitete von 1965 bis 1983 als Koordinatorin der Sozialarbeit der Tsung Tsin Mission (TTM). Diese Kirche war von Basler Missionaren unter den Hakka – einer besonderen Sprachgruppe der Han-Chinesen – in Südchina gegründet und schon 1932 in die Selbständigkeit geführt worden. Sie hatte sich selbst ihren Namen »Kirche, die den wahren Herrn anbetet« gegeben. Nach der Gründung der Volksrepublik waren alle Basler Missionare aus dem Festland ausgewiesen worden und die Christen wurden schweren Verfolgungen ausgesetzt. In Hongkong dagegen wuchs die Kirche schnell und entfaltete eine rege evangelistische und soziale Tätigkeit.

Mit ihrem Buch setzt Rosmarie Gläsle ihren chinesischen Mitarbeiterinnen und Kollegen ein Denkmal. Sie beschreibt, was sie von ihnen gelernt hat, welche Schicksale sie zur Zeit der Kulturrevolution durchmachten und unter welch schwierigen Bedingungen sie in der beengten Millionenstadt Hongkong arbeiten mussten. So ist das Buch nicht nur eine Einführung in die Kultur der Hakka, sondern auch ein Stück Kirchen- und Missionsgeschichte. Es wird deutlich, dass die evangelische Kirche in China im Verlauf ihrer schweren Geschichte ihre beiden »Geburtsfehler« überwunden hat: die Entstehung im Umfeld des europäischen Kolonialismus und die konfessionelle Zersplitterung (99).

Nach ihrer Rückkehr aus Hongkong arbeitete Rosmarie Gläsle im Ostasien-Referat des Evang. Missionswerks in Südwestdeutschland und im »Dienst für Mission, Ökumene und Entwicklung« der württembergischen Landeskirche. 1997 wurde sie eingeladen, das 150-jährige Jubiläum der Tsung-Tsin-Mission mitzufeiern. Dabei besuchte sie auch ihre früheren Arbeitsstätten und stellte fest: Alle sozialen Einrichtungen wurden weitergeführt, ausgebaut und von motivierten und kompetenten Mitarbeiterinnen geleitet. Solche befriedigende Erfahrung sei jedem Missionar und Entwicklungshelfer gegönnt!

Rosmarie Gläsle kam zum Schreiben erst nach einem Schlaganfall im Jahre 1998. Nach einer Phase der Trauer und Entmutigung entdeckte sie ihre Gabe des »Jonglierens mit Worten«. Sie vergleicht ihre Situation mit den Singvögeln, die von Chinesen in Käfigen gehalten werden. »Mühsam und nur ganz allmählich habe ich gelernt, dass ich trotz Gittern und Stäben, trotz

Enge und Ohnmacht ein Lied anstimmen kann« (15). Sie beschreibt ihr Leben als die Geschichte eines »Zugvogels« zwischen Ost und West in einer anschaulichen, bilderreichen Sprache, angereichert durch berührende Gedichte in chinesischer Tradition.

Jürgen Quack

Claudia Jahnel (Hg.), **Mi stori.** Frauen erzählen Geschichte, Neuendettelsau: Erlanger Verlag 2012, 348 S., 1 Karte, zahlr. Bilder f. u. s/w, EUR 19,80.

Das hervorragend gestaltete Buch verdankt sich einer Ausstellung zu Frauengestalten in 125 Jahren Missionsgeschichte auf Papua-Neuguinea aus Anlass des Missionsjubiläums 2011. Auf die Einleitung der Herausgeberin folgt ein Überblicksartikel von Brigitte Hagelauer »›Die Mission ist (auch) weiblich!‹. 125 Jahre Frauen in Mission und Kirche in Papua-Neuguinea« (13–29), am Ende des Bandes von zwei weiteren historischen Überblicksartikeln flankiert von Sylvie Dietrich: »›Heute machst du die Fleischküchle mit Salzkartoffeln und Salat...‹. 125 Jahre Frauen in der Bildungsarbeit« (289–316) und »›Am schnellsten dringt man in die Herzen der Braunen, wenn man sich ihrer Wunden und Krankheiten annimmt‹. 125 Jahre Frauen in der medizinischen Mission« (317–343). Dazwischen finden sich biographische Fallstudien zu Frauen in der Mission auf Papua Neuguinea, von Heide Lienert-Emmerlich zu: Louise Flierl, geb. Auricht (30–53), Luise Bergmann, geb. Gütebier (100–127) und Magdalene Wacke, geb. Döhler (128–151); von Annegret Becker zu: Justine Caroline Wilhelmine Vetter, geb. Schmidt (54–63); von Brigitte Hagelauer zu: Emilie Decker, geb. Schlenk (64–81), von Beatrix Mettler-Frercks zu: Babette Schuster, geb. Schmidt (82–99) und Hedwig Hertle, geb. Ruf (172–193). Auch diese auf der Grundlage von historischen Quellen erstellten Aufsätze wählen für die Darstellung die »Ich-Form« erzählter Geschichte.

Daneben stehen wiederum Berichte von Zeitzeuginnen, die ihr eigenes Leben in der Mission schildern, wie Hedwig Janner, geb. Bayer (152–171), Christa Fugmann, geb. Huber (194–217), Irmgard Horndasch, geb. Marreck (218–233), Vanessa Kurz, geb. Lomb (234–253), Verena Fries (254–269; zus. m. Beatrix Mettler-Frercks) und Nancy Philipp, geb. Mallum, als Ehefrau eines Austauschpfarrers in Bayern (270–288; zus. m. Elfriede Hauenstein).

Jede Frau steht ihrerseits wieder repräsentativ für bestimmte Phasen in der Geschichte der Mission auf Papua-Neuguinea, so dass über die Lebensschicksale der Frauen gewissermaßen eine beachtliche Frauengeschichte dieser Mission perspektivisch skizziert wird. Ob ganz und gar um Einfühlung bemühte Intention oder nicht – es handelt sich durchweg um Autorinnen, die sich hier um eigene oder fremde Geschichte bemühen. Allein das Nachwort des Direktors, Peter Weigand, entstammt einer männlichen Feder (344–346). Die Antwort auf die interessante Frage, inwieweit die konsequent weibliche Autorenschaft andere

Schwerpunkte oder gar Ergebnisse zeitigt, fällt allerdings nicht unmittelbar ins Auge.

In ihrem einleitenden Überblicksartikel reißt Brigitte Hagelauer das ganze Spektrum weiblicher Präsenz und Mitarbeit in der Mission an, von der Missionarsfrau, zu deren Biographie ab 1931 der halbjährige »Bräutekurs« (16) gehören bzw. die ab Anfang der 1980er Jahre auch einen eigenen lokalen Arbeitsvertrag bekommen konnte (18f). Da ist auch von den Anfängen um 1890 an die »Single«-Frau präsent als Missionsgehilfin oder später Entwicklungshelferin (19ff). Auch das interessante Phänomen einer durch die Mission entstehenden, die Blutsverwandtschaft überspannenden Missionsfamilie mit all ihren geistlich sublimierten Rollen wird angerissen (21ff). Auf der Seite der 1956 entstandenen einheimischen Kirche und ihrer Agentinnen werden als Fassetten die Frauen von Missionsgehilfen, die eigene Frauenarbeit (ab 1956), Stipendiatinnen und im Austausch nach Bayern kommende Pfarrfrauen erkennbar (26ff). Kurz, es ist ein instruktives einführendes Buch zur Geschichte von Frauen in der von Neuendettelsau ausgehenden Mission entstanden – ein wichtiger Baustein im Rahmen eines die Rolle der Frauen in der deutschen Mission zusammenschauenden Forschungsprojektes, das ein dringendes Desiderat missionswissenschaftlicher Genderforschung sein dürfte.

Jobst Reller

Felicity Jensz, **German Moravian Missionaries in the British Colony of Victoria, Australia, 1848–1908.** Influential Strangers (= Studies in Christian Mission, Volume 38), Leiden: Brill 2010, 274 S., EUR 104,00.

Die Missionsarbeit der Herrnhuter in Australien, die in Victoria in der zweiten Hälfte des 19. Jahrhunderts stattfand, wird von der Historikerin Felicity Jensz chronologisch in ihren Bezügen zu verschiedenen kolonialen und individuellen Kontexten erzählt. Dabei wird deutlich, wie sehr es die Identität der Herrnhuter Mission prägte, gerade unter widrigen Umständen erfolgreich zu wirken. Dieses Selbstbild war verbunden mit der erklärten Bereitschaft, sich aus allem Politischen konsequent heraushalten zu wollen. Doch aus dem tatsächlichen Verlauf der Missionsarbeit in Australien heraus stellen sich durchaus kritische Anfragen an dieses Selbstbild.

1848 konnten sowohl die deutschen als auch die britischen Herrnhuter auf erfolgreiche Verhandlungen mit der kolonialen Regierung von Victoria über die Aufnahme der Missionsarbeit blicken. Doch die Praxis gestaltete sich schwierig, denn die Regierung förderte vornehmlich die Siedler. Während die eigentlichen Besitzer des Landes, also die Aborigines, in ein »Aboriginal problem« verwandelt wurden (52), war es den Missionaren zwar erlaubt, uneingeschränkt zu predigen, aber in vielfacher anderer Hinsicht waren sie fest eingebunden in koloniale Bezüge. So wurden z.B. ihre Finanzen kontrolliert und Gewinne mussten abgegeben werden, da die Regierung für die Versorgung der Aborigines an anderer Stelle Mittel zur Verfügung stellte.

Im ersten Kapitel des Buches geht Jensz auf die Herrnhuter Mission allgemein ein (15–40), Kapitel zwei stellt vor allem den Bezug zur Arbeit in Victoria her (41–70). Dabei wird deutlich, worin u. a. sich Herrnhut von anderen zeitgenössischen Missionsgesellschaften unterschied: im Gebrauch des Loses. Wenn etwa die Frage im Raum stand, ob eine Mission zu beginnen sei, wurden Lose mit verschiedenen Optionen beschrieben und nach einem Gebet gezogen. Allerdings gab es auch Situationen, in denen das Losen bewusst nicht praktiziert wurde, vor allem, wenn es um Kooperationsanfragen an die Mission ging, was gegen Ende des 19. Jahrhunderts der Fall war. Kapitel drei schildert die Anfänge der Missionsarbeit in Lake Boga und ist mit dem Zitat überschrieben: »ein fauler Fleck« (71–112). Denn aufgrund des Scheiterns der Missionsstation an diesem widrigen Ort war Lake Boga für die Herrnhuter Missionare durchweg negativ konnotiert. Die Gründe für das Scheitern des Vorhabens waren zwar überaus nachvollziehbar und erklärlich, weil Siedlerpolitik und Goldrausch die Missionsarbeit unmöglich gemacht hatten. Interessanterweise wurde hier aber der Missionar – Andreas Friedrich Christian Täger (1811–70) – zum Sündenbock erklärt, der nach einem eigenen persönlichen Los die Entscheidung getroffen, die Missionsstation zu schließen, obwohl diese Entscheidung allein die Leitung hätte fällen können. Kapitel vier geht auf die ersten Konvertiten ein, die zum Teil näher dargestellt werden (113–52). Einsetzend mit Kapitel fünf wird hauptsächlich die Arbeit von Missionar Friedrich August Hagenauer (1829–1909) behandelt – und damit zugleich, welchen Anteil er und so auch die Herrnhuter Mission hatte an der Gestaltung australischer Gesetze über die sog. »Half-Casts«, d.h. die rassisch als »gemischt« eingestuften Aborigines (153–184). Diese Gesetzgebung mündete später in die Praxis, auf die heute die Rede von der »stolen generation« verweist: Aborigines-Kinder wurden ihren Familien weggenommen, um sie in einem scheinbar »besseren« Kontext christlich aufzuziehen. Im letzten, sechsten Kapitel wird schließlich der wachsende politische Einfluss von Hagenauer als »Experte« für Aborigines beschrieben; als solcher wird er letztlich sogar mit Zustimmung der Missionsleitung zum »Secretary and General Inspector to the Board for the Protection of the Aborigines« in Victoria, obwohl er weiterhin Missionar bleibt (185–226).

Mit Verweis auf Norman Etherington reiht Jensz ihre Arbeit bewusst ein in einen immer größer werdenden Bestand an Studien, die der Komplexität von Missionsarbeit stärker gerecht zu werden versuchen (6). Dabei geht Jensz so vor, dass sie sich in der Regel nicht intensiv mit einzelnen Charakteren befasst, sondern chronologisch eine kontextualisierte Verlaufsgeschichte erzählt – mit kleinen Einschüben z. B. zu Regierungsbeamten, Aborigines, Missionsmitarbeitern sowie den Herrnhutern in Deutschland und Großbritannien. Diese eklektische Methode wählt Jensz auch für kurze Exkurse in theoretische Diskussionen. Während diesbezüglich positiv hervortritt, dass Jensz nicht deutscher Wissenschaftstradition folgt, fällt an einer anderer Stelle auf, dass sie den deutschen Kontext angelsächsisch einordnet: Die Frömmigkeit in Deutschland um 1700 führt sie auf die Ideen der Aufklärung zurück (16, 30, 219), obwohl die Frömmigkeitsgeschichte deutlich vielschichtiger und umstrittener ist (vgl. A. Beutel, Kirchengeschichte im Zeitalter der Aufklärung, Göttingen 2009, 92ff). Kritisch ist auch zur Terminologie anzumerken, dass Jensz den Begriff »Heiden« manchmal in Anführungsstriche setzt und manchmal nicht (13f, 27, 42, 77 und öfters). Ist damit eine (vermeintlich!) neutrale Bezeichnung für Nicht-Bekehrte gemeint, oder doch ein negativ besetzter Begriff wie »Unzivilisierte«, der mit einer gewissen kritischen Distanz zu behandeln ist?

Jensz ergänzt die Herrnhuter Missionsgeschichte um ein kritisches und zugleich verständnisvolles Bild von Missionsarbeit in Australien. Sie erklärt den problematischen Beitrag der Herrnhuter zur australischen Aborigines-Gesetzgebung aus deren missionarischer Gottesfurcht und Theologie. Das leuchtet zwar ein, aber Jensz spricht auch von Hagenauers rassistischen Ansichten (225) als seinen »needs« (226, vgl. 231). Ob das allerdings wirklich zu den theologischen Motiven gehört, bleibt offen.

Das Buch handelt von »einflussreichen Fremden«, wie der Untertitel besagt. Und damit wird auch eine bestimmte Perspektive eingeblendet: Es geht hier nicht um Aborigines, sondern um ein Gruppenbild deutscher und britischer Missionare vor australischer Landschaft – mit Missionar Hagenauer im Mittelpunkt. Dabei kommt Jensz den damaligen Herrnhuter Protagonisten wahrscheinlich auch deshalb besonders nah, weil sie gerade keine Persönlichkeitsstudien präsentiert, sondern deren spezifische Rollen im jeweiligen institutionellen Rahmen. Jensz schreibt die Geschichte der Herrnhuter Mission in Australien neu und geht in diesem Zusammenhang zurück auf Quellen, die tatsächlich schon lange auf eine »Feder« warten, wie Jensz einen deutschen Herrnhuter zitiert (1).

Gabriele Richter

Horst Bürkle, **Erkennen und Bekennen.** Schriften zum missionarischen Dialog. St. Ottilien: EOS Verlag 2010, XVI u. 716 S., EUR 69,80.

Vorliegender Band führt die Vielfalt und Vielschichtigkeit des missionarischen Dialogs vor Augen. Mit dieser umfangreichen Aufsatzsammlung schaut der 85jährige Autor auf sein Lebenswerk zurück. Von den insgesamt 52 Aufsätzen stammen 24 aus seiner »evangelischen« Zeit von 1965 bis 1988, 10 Beiträge aus den 90er Jahren und 18 aus der Zeit von 2000 bis 2010. Die Sammlung gliedert sich in vier Teile: Im Dialog mit den Religionen – Asien und Afrika im Brennpunkt – Gemeinsames und Trennendes – Der bleibende Auftrag.

Nach seiner Promotion 1956 war Bürkle im Generalsekretariat der Ev. Studentengemeinden tätig und wurde dann als Leiter der Missionsakademie an der Universität Hamburg berufen. Nach einer mehrjährigen Gastdozentur in Kampala/Uganda wurde ihm 1968 die Professur für Missions- und Religionswissenschaft an der neugegründeten Evang.-Theologischen Fakultät der LMU in München übertragen. Nach seiner Konversion zur katholischen Kirche (1987) war er schließlich von 1989 bis zur Emeritierung 1991 Professor am Seminar für Christliche Weltanschauung, Religions- und Kulturtheorie in München tätig. Die Beiträge aus seiner »katholischen« Zeit setzen sich vielfach mit den missionsbezogen Texten des Vaticanums II auseinander.

Ein Grundgedanke, der die meisten Beiträge durchzieht, ist der der Inkulturation. Diese ist bereits vorgebildet im Zwiegespräch, »das Gott in Form geschichtlicher Offenbarung mit bestimmten Menschen aufgenommen hat. Geschichtlich« – das meint für diese Menschen ein »konkretes Eingehen auf … ihre Sprache, ihre Lebenserfahrung und Denkweisen, ja – ihre vorchristlichen religiösen Vorstellungen« (93). Die Inkarnation, das »In-die-Zeit-Kommen des Ewigen« ist die stärkste Konkretion dieses Geschehens. »Dem inkarnatorischen Geheimnis entspricht das inkulturative.« Inkulturation meint nun nicht ein Aufgehen »im vorhandenen Kulturellen, im Bisherigen«, sondern durch die Kraft des Neuen wachsen die Kulturen über sich hinaus. Einer Metamorphose gleich nehmen sie die verwandelnde Christuswirklichkeit in sich auf. »Fermentiert durch das Evangelium werden sie selber zu etwas Neuem« (14f). Der »missionarische Dialog« (Untertitel des Bandes) ist die notwendige Fortsetzung von Gottes Dialog (Offenbarung, Inkarnation) mit den Menschen, die nun ihrerseits auf die kulturellen und auch religiösen Gegebenheiten ihrer »Dialogpartner« einzugehen und sie zu berücksichtigen haben, um die Botschaft des Evangeliums verständlich zu machen (vgl. 95ff).

Zugleich ist aber zu beobachten, dass vor allem im asiatischen Bereich christliche Aspekte und ethische Werte »als Interpretamente östlicher religiöser Heilswege« dienen (20). Sie vereinnahmen diese neuen, ursprünglich christlichen Werte und legen so ihre zentralen Inhalte neu aus. »Die Begegnung mit dem Christentum und … Ideale des Westens haben hier Pate gestanden für eine Erneuerung der anderen Religionen.« (693; vgl. 19–30; 62) Diese Erneuerung wird dann zur Grundlage eines gemeinsamen »Weltethos«, eine Entwicklung, die Bürkle sehr kritisch sieht (6ff).

Die Vielfalt der Aufsätze, gerade auch über Asien und Afrika, machen die Sammlung interessant und geben mancherlei Anregungen, die die missionstheologische Diskussion in Aufnahme oder kritischer Distanz bereichern können.

Johannes Triebel

Berufungen und Ehrungen

Die Synode der *Protestantischen Kirche auf Bali (GKPB)* hat in ihrer 43. Versammlung Pfarrer Dr. **Ketut Waspada** für die Amtszeit 2012 bis 2016 zum Kirchenpräsidenten und Bischof gewählt. Waspada will sich gegen den wachsenden Einfluss materieller Lebenshaltungen dafür einsetzen, in der Kirche die Frage nach Gerechtigkeit und liebevoller Fürsorge zu stärken. Waspada hat in München im Fach Missions- und Religionswissenschaft promoviert. Als Bischof einer Mitgliedskirche der EMS tritt er für ein geschwisterliches Miteinander ein.

Neue Leiterin des Partnerschaftsreferats bei *Mission EineWelt* ist seit September 2012 Pfarrerin **Reinhild Schneider**. Sie hat 15 Jahre lang im Kongo gelebt und gearbeitet. Auf der Grundlage dieser Erfahrungen will sie sich dafür einsetzen, dass die Partnerschaftsarbeit als Beziehung zwischen Menschen gestaltet wird, die in der Zusammenarbeit an Fragen politischer und spiritueller Art wachsen. Die Vernetzung mit Gemeinden anderer Sprache und Herkunft sieht sie als Teil dieser Arbeit.

Den mit 5.000 Euro dotierten Amos-Preis der liberalen Vereinigung »Offene Kirche« der württembergischen Landeskirche erhielt die Vikarin **Carmen Häcker** im Oktober 2012. Sie wurde damit für ihre Entscheidung geehrt, einen Muslim zu heiraten, obwohl sie deswegen aus dem Dienst der württembergischen Landeskirche entlassen wurde. In der Begründung für die Preisverleihung wird ihr Mut unterstrichen, dass sie ihr Recht darauf geltend gemacht hatte, den Menschen zu heiraten, den sie liebt. Häcker setzt inzwischen ihr Vikariat in der Evangelischen Kirche Berlin-Brandenburg-Schlesische Oberlausitz fort.

Der Schriftsteller und Orientalist **Navid Kermani** wurde im Oktober 2012 mit dem Cicero Rednerpreis des Verlags für die Deutsche Wirtschaft ausgezeichnet. Der 1967 in Siegen als Sohn iranischer Eltern geborene Autor studierte Orientalistik, Theaterwissenschaft und Philosophie in Deutschland und Ägypten. 1994 gründete der muslimische Autor ein Sprach- und Kulturzentrum in Isfahan (Iran), das er bis 1997 leitete. Von 2009 bis 2012 war er Senior Fellow des Kulturwissenschaftlichen Instituts Essen. Kermani ist Mitglied der Deutschen Akademie für Sprache und Dichtung sowie der Akademie der Wissenschaften in Hamburg. Von 2006 bis 2009 war er Mitglied der Deutschen Islam-Konferenz. Neben philosophischen und politischen Büchern hat Kermani auch einen Roman, ein Kinderbuch und zahlreiche Artikel und Aufsätze zu aktuellen Themen wie etwa den *Auseinandersetzungen über Moscheeneubauten* oder die *Beschneidungsdebatte* veröffentlicht. Für sein akademisches und literarisches Werk erhielt er diverse Auszeichnungen und Preise, unter anderem den Ernst-Bloch-Förderpreis (2000) und die Buber-Rosenzweig-Medaille.

Für ihr Engagement für Migranten hat die Integrationsbeauftragte der Bundesregierung, **Maria Böhmer**, im Oktober 2012 acht Menschen mit der »Integrationsmedaille« ausgezeichnet. Für das Engagement im Bereich Bildung, interreligiösem Dialog und Integration im Beruf wurden Sonja Brogiato (Leipzig), *Nurdane Görgün* (Offenburg), *Johann Koops* (Lingen) und *Asli Peker Gaubert* (Berlin) ausgezeichnet. *Mübeccel Kocer* (Düren) und *Nevin Sahin* (Hildesheim) bekamen Medaillen für ihren Einsatz für Frauen mit Migrationshintergrund. *Philipp Kohl* (Mannheim) erhielt den Preis für ein Filmprojekt über das Zusammenleben von Migranten und Deutschstämmigen in seiner Heimatstadt und *Heinz Ratz* (Kiel) für seine Musik-Tour durch mehr als 80 Flüchtlingslager.

Neuer Vize-Generalsekretär der Weltweiten Evangelischen Allianz (WEA) ist seit Oktober 2012 der Schweizer Pastor und Psychiater **Wilf Gasser**. Gasser ist bereits Präsident der Schweizerischen Evangelischen Allianz. Gassers Hauptaufgabe bei der WEA besteht in der Vernetzung der WEA-Kommissionen, zum Beispiel für Mission oder Religionsfreiheit, sowie der Initiativen und Arbeitsgruppen, etwa zur Bewahrung der Schöpfung oder zur Bekämpfung von Armut und Menschenhandel. Gasser ist Ehe-, Familien- und Sexualtherapeut und arbeitete bis 2007 als Co-Pastor der charismatisch geprägten Freikirche Vineyard (Weinberg) in Bern.

Der evangelische Theologe und Menschenrechtler **Helmut Frenz** (1933–2011) ist mit einer Gedenktafel geehrt worden. Frenz hatte seit 1965 in der Lutherischen Kirche in Chile gearbeitet, deren Bischof er 1970 wurde. Außerdem leitete er zwischen 1975 und 1986 die deutsche Sektion von Amnesty International als deren Generalsekretär. Nach seiner Rückkehr nach Deutschland arbeitete er zunächst als Gemeindepastor in Norderstedt, bevor er 1994 Flüchtlingsbeauftragter der Nordelbischen Kirche wurde. Von 2005 bis 2007 hatte er in Santiago de Chile eine Professur für Menschenrechte inne und wurde 2007 chilenischer Ehrenbürger. Die Gedenktafel wurde in der Apostelkirche in Hamburg-Eimsbüttel, wo Frenz die letzten Jahre bis zu seinem Tod 2011 gelebt hatte, im November 2012 von Bischöfin Kirsten Fehrs enthüllt.

Neue Promotionen und Habilitationen

Abissa, Yao Cyrille (Innsbruck, Leopold-Franzens-Universität, 2011): »Thomas Hobbes au Secours de Defi de Stabilité des Etats Africains.«

Anderson, Daniel R. (St. Paul, Minnesota, Luther Seminary, 2012): »*Soli Deo Gloria.* A Doxological Hermeneutic of Mission in Emerging Ministries in the Evangelical Lutheran Church in America.«

Beuerle, Klaus (Frankfurt am Main, Wolfgang-Goethe-Universität, 2010): »Der Mensch des Herzens. Eine theologische Deutung von Gedichten des bengalischen Mystikers Lalon Shah.«

Dick, Randal Glen, (Pasadena, California, Fuller Theological Seminary 2011): »The Impact of Human Patterned Behaviours on the Mission of the Church. An Application of the Elliott Wave Principle.«

Duerksen, Darren Todd, (Pasadena, California, Fuller Theological Seminary, 2011): »Ecclesial Identities in a Multi-Faith Context. Jesus Truth-Gatherings (Yeshu Satsangs) Among Hindus and Sikhs in Northwest India.«

Esler, John Theodore (Pasadena, California, Fuller Theological Seminary, 2012): »Movements and Missionary Agencies. A Case Study of Church Planting Missionary Teams.«

Everett, David LaMar (St. Paul, Minnesota, Luther Seminary, 2012): »A Future Horizon for a Prophetic Tradition. A Missional, Hermeneutical, and Pastoral Leadership Approach to Education and Black Church Civic Engagement.«

Gómez Rincón, Carlos Miguel (Frankfurt am Main, Wolfgang-Goethe-Universität, 2011): »Interculturality, Rationality and Dialogue in Search for Intercultural Argumentative Criteria for Latin America.«

Kim, Dae Sung (Evanston, Illinois, Garrett-Evangelical Theological Seminary, 2012): »The Very End of the Earth. An American Protestant Missionary Understanding of Korea in the 1880s.«

Kowalski, Rosemarie Linda Daher (Springfield, Missouri, Assemblies of God theological Seminary, 2012): »Whom Shall I Send? And Who Will Go for Us? The Empowerment of the Holy Spirit for Early Pentecostal Female Missionaries.«

Kwiyani, Harvey Collins (St. Paul, Minnesota, Luther Seminary, 2012): »Pneumatology, Mission, and African Christians in Multicultural Congregations in North America. The Case of Three Congregations in Minneapolis and Saint Paul, Minnesota, USA.«

Löhnert, Markus (Graz, Karl-Franzens-Universität, 2011): »›Zahlt es sich aus, eine Fundamentalistin zu werden?‹ Eine religionssoziologische Auseinandersetzung mit dem christlichen Fundamentalismus in den USA bei Frauen vor dem Hintergrund der ›Rational Choice Theory‹.«

Mainiero, Andrew John, (Pasadena, California, Fuller Theological Seminary, 2011): »The Johannine Story Represented in Los Angeles. Toward a Covenantal Paradigm of Mission.«

Man, Cecilia Wing Sze (Frankfurt a.M., Wolfgang-Goethe-Universität, 2010): »Grave Visitation and Concepts of Life after Death. A comparative Study in Frankfurt and Hong Kong.«

Masangu, Alex (Innsbruck, Leopold-Franzens-Universität, 2011): »The Locality oft the Church. Small Christian Communities in Eastern Africa and in the Catholic Diocese of Tanga, Tanzania.«

Waisanen, Cori McMillin (Wilmo, Kenntucky, Ashbury Theological Seminary 2011): »Crossing the Great Divide. Syncretism or Contextualization in Christian Worship.«

Wasef, Mofid (Pasadena, California, Fuller Theological Seminary, 2011): »An Evaluation of Contemporary Arabic Christian Apologetic Literature on Jesus for Muslims.«

Weiler, Birgit (Frankfurt am Main, Wolfgang-Goethe-Universität, 2010): »Mensch und Natur in der Kosmovision der Aguarana und Huambisa und in den christlichen Schöpfungsaussagen.«

Geburtstage

60 Jahre: am 6.2.2013 Dr. **Horst Afflerbach**, Leiter der Biblisch-Theologischen Akademie Wiedenest.

70 Jahre: am 27.5.2013 Prof. Dr. **Michael Plathow**, ehemaliger Leiter des Konfessionskundlichen Instituts und Direktor des Evangelischen Bundes in Bensheim.

70 Jahre: am 17.11.2012 Dr. **Hermann Vorländer**, von 1992 bis zu seinem Ruhestand Ende 2007 Direktor des Bayerischen Missionswerks (ab 2007 Mission EineWelt).

75 Jahre: am 25.1.2013, Prof. Dr. **Konrad Raiser**, Generalsekretär i.R. des Ökumenischen Rates der Kirchen und emeritierter Lehrstuhlinhaber für Systematische Theologie und Ökumenik in Bochum.

75 Jahre: am 15.3.2013 Dr. **Paul Jenkins**, Universitätsdozent in Ghana, langjähriger Leiter des Archivs von Mission 21 und Lehrbeauftragter für Afrikanische Geschichte am Historischen Seminar der Universität Basel.

75 Jahre: am 22.3.2013 **Eberhard Troeger**, lange Jahre Leiter der Evangeliumsgemeinschaft Mittlerer Osten (EMO), Wiesbaden, 2. Vorsitzender des Instituts für Islamfragen.

75 Jahre: am 29.5.2013 Dr. **Werner Hoerschelmann**, ehemaliger Vorstandsvorsitzender der Kindernothilfe.

80 Jahre: am 15.5.2013, Dr. **Wolfgang Schmidt**, früherer Präsident der Basler Mission.

85 Jahre: am 2.2.2013 Prof. Dr. **Niels-Peter Moritzen**, von 1967 bis 1993 Lehrstuhlinhaber für Religions- und Missionswissenschaft an der Universität Erlangen-Nürnberg.

85 Jahre: am 19.3.2013, Prof. Dr. **Hans Küng**, Tübinger Theologe und Präsident der Stiftung Weltethos.

85 Jahre: am 8.6.2013, **Gustavo Gutiérrez**, peruanischer Priester und »Vater der Theologie der Befreiung«.

Todesnachrichten

Der chinesische Altbischof **K. H. Ting** ist am 22. 11. 2012 im Alter von 97 Jahren in Nanjing gestorben. Er war der einzige protestantische Bischof in China und hatte die Funktion des Präsidenten des Chinesischen Christenrates inne. Ting war auch Gründer der Amity-Foundation und bis zu seinem Tod Leiter des größten chinesischen theologischen Seminars in Nanjing. Er hatte nach 1945 zunächst in Kanada gelebt und als Missionssekretär der Christlichen Studentenbewegung gearbeitet. Nach seiner Mitarbeit bei der christlichen Welt-Studentenbewegung in Genf kehrte er 1951 nach China zurück, wo er 1955 zum anglikanischen Bischof geweiht wurde. Nach der Öffnung Chinas Ende der 70er Jahre wirkte Ting maßgeblich daran mit, dass die chinesischen Kirchen wieder Anschluss an die internationale ökumenische Bewegung fanden. Der Besuch Tings in Deutschland im Jahr 1983 legte die Grundlage für die guten Beziehungen zwischen dem deutschen Protestantismus und den chinesischen Christen.

Im Alter von 74 Jahren starb am 25.11. 2012 in Tansania Bischof **Zephania Mgeyekwa**. Bischof Mgeyekwa kam 1978 als erster Pfarrer aus einer Partnerkirche der Evangelisch-Lutherischen Kirche in Bayern nach Deutschland. Von 1979 bis 1982 arbeitete er in der evangelischen St. Moritz Gemeinde in Coburg mit. Die Kirchengemeinde und das Dekanat Coburg wurden damit zu Vorreitern der weltweiten Partnerschaftsarbeit der Kirchengemeinden und Dekanatsbezirke der Evangelisch-Lutherischen Kirche in Bayern. Anschließend studierte er ein Jahr lang an der Augustana Hochschule. Von 1991 bis zu seinem Eintritt in den Ruhestand 2003 war Mgeyekwa Bischof der Süddiözese in Tansania.

Der Gründer der Lutherischen Kirche in Korea (LCK), Prof. Dr. **Wong-Yong Ji**, ist am 31. 12. 2012 im Alter von 88 Jahren verstorben. Auf Anregung von Dr. Ji während seines Promotionsstudiums in den USA hatte die Lutheran Church-Missouri Synod (LCMS) 1958 die lutherische Mission in Korea begonnen. 1948 bis 1950 studierte Wong-Yong Ji am San Jose Bible College in San Jose in Kalifornien, von 1955 bis 1956 an der Universität Heidelberg. 1965 wurde er erster Direktor des neu gegründeten Lutherischen Theologischen Seminars in Korea (der heutigen Luther University). 1975 bis 1978 arbeitete er fuer das Missionswerk der Evangelisch-lutherischen Kirche in Bayern (heute: Centrum Mission EineWelt), seit 1977 als Sonderberater des Direktors (Horst Becker), wo er u.a. die Idee des Summer School entwickelte. 1978 erhielt er eine Professur des Concordia Seminary in Saint Louis, die er bis zu seiner Emeritierung 1997 innehatte.

Im Alter von 86 Jahren ist Dr. **Hans-Jürgen Becken** am 14. 1. 2013 in Berlin verstorben. Dr. Becken war langjähriger Afrikareferent im Evangelischen Missionswerk in Südwestdeutschland und hat sich besonders um die Erforschung der Afrikanischen Unabhängigen Kirchen verdient gemacht.

Sonstiges

Die erste Vollversammlung der *Evangelischen Mission in Solidarität* (EMS) hat am 10.11.2012 ihre neue Leitung gewählt. Zur Vorsitzenden der Vollversammlung und des Missionsrates wurde Marianne Wagner gewählt, Pfarrerin für Weltmission und Ökumene der Evangelischen Kirche in der Pfalz. Zu ihren Stellvertretern wählte die Vollversammlung Dr. Habib Badr, den leitenden Pfarrer der Nationalen Evangelischen Kirche von Beirut (Libanon) und Kirchenrat Klaus Rieth, dem Leiter des Referats Mission, Ökumene und Entwicklungszusammenarbeit der Evangelischen Landeskirche in Württemberg. Nach der Strukturreform waren nun erstmalig alle Mitglieder der EMS stimmberechtigt. Nach außen wird die EMS nun von den drei Vorsitzenden repräsentiert. Die Anfang 2012 in Kraft getretene neue Verfassung der EMS hebt die bisherige Trennung zwischen stimmberechtigten Mitgliedern in Deutschland und der Schweiz und den Partnerkirchen im Ausland auf. Diese Struktur eröffnet neue Wege gemeinsamer Verantwortung und Mitbestimmung. Zu den Schwerpunkten, die die Vollversammlung beschlossen hat und die nun vom Missionsrat umgesetzt werden müssen, gehören Evangelisation und interreligiöser Dialog in Indonesien und das Engagement für Frieden und Gerechtigkeit in Korea und im Nahen Osten. Geplant sind außerdem Fachtagungen für die missionstheologische Aus- und Weiterbildung, internationale Konsultationen für Frauen- und Jugendnetzwerke sowie Schwerpunktsetzungen in den Freiwilligenprogrammen und den ökumenischen Studienprogrammen.

Die *Stiftung Weltethos* hat am 29.10.2012 ein wissenschaftliches Institut in Peking eröffnet. Damit wird die Arbeit der Stiftung für den Frieden zwischen Religionen und Kulturen auch in China fortgesetzt. Unter dem Leitgedanken »Ohne Frieden zwischen den Religionen kein Friede zwischen den Staaten« will das Institut in offenen Seminaren gemeinsame Werte für die globale Wirtschaft vermitteln und damit auch zu einem besseren gegenseitigen Verständnis zwischen Menschen deutscher und chinesischer Kultur beitragen.

Der Präsident des Päpstlichen Einheitsrates, *Kurt Kardinal Koch* (Vatikanstadt), und der Generalsekretär des LWB, *Martin Junge* (Genf), erklärten am 2. November 2012 vor Journalisten bei der Generalsynode der Vereinigten Evangelisch-Lutherischen Kirche Deutschlands (VELKD) in Timmendorfer Strand bei Lübeck, gemeinsam den ökumenischen Dialog mit den Pfingstkirchen vorantreiben zu wollen. Die charismatische und pfingstkirchliche Bewegung wachse besonders im globalen Süden stark, sagte Koch. In einigen Ländern Lateinamerikas seien sie nach der katholischen Kirche zur zweitgrößten christlichen Kraft geworden. Wichtig sei, dass sich die christlichen Gemeinschaften als »Ausfaltung des einen Glaubens« verstünden. Junge berichtete, dass etwa die Gespräche im Global Christian Forum gezeigt

hätten, wie sehr die Pfingstkirchen und die charismatische Bewegung sich selbst in einem Differenzierungsprozess befänden. Die Vollversammlung des LWB habe im Jahr 2010 den Auftrag erteilt, den Dialog aufzunehmen.
Die *Evangelisch-reformierte Kirchengemeinde in Erlangen* lud am Buß- und Bettag (21.11.2012) Imam Benjamin Idriz von der Islamischen Gemeinde Penzberg zu ihrer traditionellen Kanzelrede am Bußtag ein. Auf der Grundlage von Texten aus Bibel und Koran sprach Idriz über Toleranz und betonte die Friedfertigkeit des Islam. Zugleich unterstrich er die Bedeutung der freiheitlich-rechtlichen Grundordnung in Deutschland. Die Veranstaltung wurde im Vorfeld von heftigen Kontroversen begleitet.

Termine

Vom **15.2. bis 26.5.2013** zeigt das Haus der Kunst in München eine Ausstellung mit dem Titel »Aufstieg und Fall der Apartheid«. Sie bietet über 600 dokumentarische Fotografien, Kunstwerke, Filme, Bücher, Zeitschriften und Archivmaterial. Museumsdirektor Okwui Enwezor unterstreicht die Intention, die Verschiebung in der visuellen Wahrnehmung Südafrikas von einem »relativ harmlosen kolonialen Gebiet mit Rassentrennung zu einem heiß umkämpften Gebiet« zu dokumentieren.

Am **9.5.2013** findet in der Stuttgarter Liederhalle die diesjährige Stuttgarter Konferenz für Weltmission statt. Sie wird veranstaltet von den Organisationen Christliche Fachkräfte International, Hilfe für Brüder International und Co-Workers International.

Am **14. und 15.6.2013** veranstaltet die Forschungsstelle Interkulturalität und Religion der Internationalen Hochschule Liebenzell (IHL) ein Symposium zum Thema »Der Paradigmenwechsel in der Weltmission. Die Chancen und Herausforderungen nicht-westlicher Missionsbewegungen.« In den Beiträgen geht es u.a. um eine kritische Reflexion der geistesgeschichtlichen Grundlagen westlicher Missionsbewegungen, um Grundzüge der Theologie des Global South sowie um Implikationen für die missionarischen Herausforderungen in Europa und für die Ausbildung von Missionaren. Weitere Informationen unter www.ihl.eu/symposium

(Zusammengestellt am Lehrstuhl für Missionstheologie und Religionswissenschaft der Augustana-Hochschule von Dr. Verena Grüter, Waldstraße 11, D-91564 Neuendettelsau. Bitte senden Sie Informationen und Hinweise an petra-anna-goetz@augustana.de bzw. Fax: 09874/509-555.)

Herausgeberkreis und Schriftleitung

Sekretariat des Herausgeberkreises
Waldstr. 11, D-91564 Neuendettelsau, petra-anna-goetz@augustana.de

Prof. Dr. Ulrich Dehn (Hauptschriftleiter)
FB Evangelische Theologie, Sedanstr. 19, D-20146 Hamburg, ulrich.dehn@uni-hamburg.de

Dr. Verena Grüter (Informationen und Termine) Augustana-Hochschule, Waldstr. 11, D-91564 Neuendettelsau, verena.grueter@augustana.de

Prof. Dr. Klaus Hock (Rezensionen) Theologische Fakultät der Universität Rostock, D-18051 Rostock, klaus.hock@uni-rostock.de

Dr. Katrin Kusmierz (Berichte und Dokumentationen) Theologische Fakultät der Universität Bern, Länggassstr. 51, CH-3012 Bern, katrin.kusmierz@theol.unibe.ch

Dr. Benedict Schubert (Berichte und Dokumentationen) Hebelstrasse 17, CH-4056 Basel, b.schubert@unibas.ch

VerfasserInnen und RezensentInnen

Dr. Nicholas Adams, School of Divinity, New College, Mound Place, Edinburgh EH12LX, United Kingdom, N.Adams@ed.ac.uk

Prof. Dr. Theodor Ahrens, Süntelstr. 85i, D-22457 Hamburg, TheoAhrens@t-online.de

Prof. Dr. Dieter Becker, Augustana-Hochschule, Waldstr. 11, D-91564 Neuendettelsau, dieter.becker@augustana.de

PD Dr. Moritz Fischer, Mission EineWelt, Hauptstraße 2, D-91561 Neuendettelsau, moritz.fischer@augustana.de

Prof. Dr. Walter Homolka, Abraham Geiger Kolleg, Postfach 120852, D-10598 Berlin, walter.homolka@t-online.de

Dr. Claudia Jahnel, Mission EineWelt, Postfach 68, D-91561 Neuendettelsau, Claudia.Jahnel@Mission-EineWelt.de

Prof. Dr. Paul F. Knitter, Union Theological Seminary, 3041 Broadway at 121st St., New York, NY 10027, pknitter@uts.columbia.edu

PD Dr. Rainer Neu, Am Lilienveen 62, D-46485 Wesel, neu.wesel@t-online.de

Dr. Jürgen Quack, Schopenhauerstr. 79, D-72760 Reutlingen, Juergen_Quack@web.de

Dr. Jobst Reller, Georg-Haccius-Str. 41, D-29320 Hermannsburg, jobst.reller@evlka.de

Dr. Gabriele Richter, Institut für Religionswissenschaft und Religionspädagogik, Postfach 330 440, D-28334 Bremen, gabriele.richter@uni-bremen.de

Heydar Shadi, Universität Erfurt, Postfach 90 0221, D-99105 Erfurt, heydarshadi@uni-erfurt.de

Prof. Dr. Johannes Triebel, Schillerstr. 34, D-91054 Erlangen, johannes.triebel@gmx.de

Dr. Madeleine Wieger, Palais universitaire, 9 place de l'Université, BP 90020, F-67084 Strasbourg cedex, madeleine.wieger@unistra.fr